전면개정판 제36회 공인중개사 시험대비

KB191208

박문각 공인중개사

100% 합격가이드
합격설명서

박문각 부동산교육연구소 편

브랜드만족
1위
박문각

근거자료
후면표기

2025

동영상강의
www.pmg.co.kr

합격까지 박문각
합격 노하우가 다르다!

공인중개사 시험 가이드

공인중개사 100% 합격 가이드

공인중개사 합격 공부 방법

합격수기

 시험 대비 방법

 부동산학개론이 만만해지는 용어&이론 · 88

공인중개사, 당신의 새로운 시작

공인중개사 합격설명서는 다양한 이유로
수험 생활을 시작한 여러분에게 따뜻한
조언과 공부의 방법을 제시하고자
만들어졌습니다. 이 책을 시작으로
여러분의 새로운 꿈이
더 이상 꿈이 아닌 현실이 되기를 소망하며
독자들의 합격을 진심으로 응원합니다.

공인중개사
시험 가이드

1. 공인중개사란?
2. 공인중개사 자격증을 취득하면 무슨 일을 할까요?
3. 공인중개사 시험정보

1. 공인중개사란?

공인중개사란 등록을 하고 타인의 의뢰에 의하여 일정한 보수를 받고 토지나 주택 등의 매매, 교환, 임대차 기타 권리의 득실·변경에 관한 행위의 알선·중개를 하는 자입니다. 공인중개사 시험에 합격하여 그 자격을 취득하면 누구나 제한없이 공인중개사의 업무를 할 수 있습니다.

공인중개사 업무를 자세히 살펴보면 알선·중개 외에도 중개부동산의 이용이나 개발에 관한 지도 및 상담(부동산컨설팅)업무도 포함됩니다. 부동산중개 체인점, 주택 및 상가의 분양대행, 부동산의 관리대행, 경매 및 공매대상 부동산 취득의 알선 등 부동산에 대한 전문적 컨설턴트로서 부동산의 구입에서부터 이용, 개발, 관리까지 폭넓은 업무를 다루는 사람이라 하겠습니다. 최근에는 부동산 가치 활용의 중점이 종전의 '부동산의 보존'이라는 차원에서 '부동산의 이용'의 차원으로 옮겨가고 있어서 이에 따라 공인중개사의 업무 영역이 더욱 활성화될 것으로 전망됩니다.

(1) 전문직업군으로 정착되어가는 공인중개사

종래에는 토지나 주택 등의 단순 알선·중개 업무를 복덕방이라고 불리는 일반중개인이 담당했지만 지난 1985년부터 공인중개사 제도가 시행됨에 따라 공인중개사만이 부동산중개업의 등록을 받을 수 있게 되었습니다. 앞으로 공인중개사 시험은 해를 거듭할수록 더욱 전문적이고 심도 깊은 출제가 예상되는데, 이는 부동산 거래의 공정성과

질적 고양을 추구하는 정책 방향과도 밀접한 관련이 있습니다. 현실
적으로도 응시자의 수준이 높아지고 있으며, 공인중개사가 전문직업
군으로 정착되어가는 추세를 보이고 있습니다. 또한 부동산 유통시
장이 1996년부터 개방됨에 따라 우리나라의 부동산업계도 전문화·
법인화·대형화되는 추세이고, 부동산 거래 정보망과 함께 전국적인
체인점 형성이 두드러지게 나타나면서 공인중개사 시험에 대한 관심
이 고조되고 있습니다. 최근에는 우리나라의 부동산 중개업소도 선
진국형으로 변화되어 부동산컨설팅·분양·관리·개발·신탁 등 전문
적인 재산 상담에까지도 그 영역을 확대하고 있습니다.

(2) 부동산 시장의 패러다임 변화 ⇨ 공인중개사의 역할이 커졌다

부동산 시장은 다른 어떤 분야보다도 경제적·사회적 문제로부터
직접적인 영향을 받습니다. 경기선행·후행지수, 금리, 주가, 환율,
세계 경제의 이슈 등 거시경제적 지표들과 지역 부동산거래의 증
감, 급매물의 증감, 경매의 경락률, 전세가격과 매매가격의 비율,
주택공급의 인허가 통계 등 부동산 관련지표를 종합적으로 분석해
보면 부동산 시장의 단기적 또는 장기적 미래가 보입니다.
IMF 사태 이후 부동산 시장은 패러다임의 변화를 겪고 그 여파로
금융권의 저금리 기조 유지, 리츠 등 부동산 간접상품의 등장, 외
국부동산 자본의 국내 진출 등이 부동산 시장을 움직이는 큰 흐름
이 되고 있습니다. 최근엔 부동산 투기 수요를 잠재우기 위해 분양
권전매 제한, 투기과열지구에서의 규제 강화 등 부동산투기 억제
대책이 나오고 있습니다. 이러한 변화를 미리미리 읽어내고 선두주
자 역할을 해야 하는 게 공인중개사인 것입니다.

2. 공인중개사 자격증을 취득하면 무슨 일을 할까요?

공인중개사 자격증에 대해 사람들이 가장 많이 궁금해 하는 점이 바로 '취득 후 무슨 일을 하나?'입니다. 공인중개사 자격증 취득 후 선택할 수 있는 직업군은 생각보다 다양합니다. 공인중개사가 타인의 부동산경매 대행 자격을 부여받아 직접 경매에 참여할 수 있는 제도적 장치가 마련되어 업무범위가 종전보다 확대되었습니다. 따라서 좀 더 전문적인 업무를 수행할 수 있습니다. 공인중개사가 경매·공매 대상 부동산에 대한 시장가격 분석과 권리 분석을 전문자격인으로 이미 수행하고 있는데도 절차적인 행위에 불과한 매수신청 또는 입찰신청의 대리업무를 변호사 및 법무사만이 하도록 제한하여 일반인이 경매 등에 접근하는 것이 쉽지 않았지만, 공인중개사에게 입찰신청의 대리 등을 할 수 있도록 하여 업계의 형평성을 도모하고 일반인이 개업공인중개사를 통해 편리하게 경매 등에 참여할 수 있게 됨에 따라 공인중개사가 진출할 수 있는 범위가 더 넓어졌습니다.

(1) 취업

20~30대 수험생들의 경우 인터넷 부동산 회사에 취업을 하는 경우를 볼 수 있습니다. 부동산 관련 회사에서는 "공인중개사 자격증 취득 여부가 입사시 가장 중요한 요소가 될 수 있다"고 밝히기도 합니다. 인터넷 회사뿐만 아니라 중개법인 등 부동산 관련 기업, 정부 재투자기관, 즉 법인인 개업공인중개사와 일반기업에서는 부동산

및 관재팀에 입사할 수 있습니다. 일반 기업 입사 후에도 승급우대 등의 혜택과 자격증 수당 등이 지급되기도 합니다. 또한 한국토지 주택공사, 한국자산관리공사 등 공기업 입사시에 가산점을 받을 수 있습니다. 경찰직 공무원 시험에서도 가산점을 받을 수 있습니다.

(2) 창업

중개사무소 개업은 가장 많은 수험생들이 선택하는 경우의 수입니다. 공인중개사는 중개사무소 개설등록을 하여 사무소를 설치, 중개업을 할 수 있습니다. 소규모의 자본과 자격증만 있으면 창업이 가능하여 40~50대의 퇴직 후의 주요 소득원이 됩니다. 또한 여성의 경우 결혼과 출산 후에도 안정적으로 일을 할 수 있다는 장점 때문에 20대에서 50대에 이르기까지 다양한 연령층이 공인중개사 시험에 도전하고 있습니다.

공인중개사 사무소를 개설하고자 할 때는 가장 먼저 실무교육(실무수습 포함)을 이수하고, 관할 지역 관청(시·군·구청)에 개설등록을 신청한 후 업무보증 설정을 하고 중개업등록증을 교부받음으로써 업무를 개시할 수 있으며 이에 따른 등록신청에 필요한 서류 및 절차는 다음과 같습니다.

(3) 컨설팅

중개사무소 창업과 부동산 기업 입사 외에 합격생들이 선택할 수 있는 직종은 바로 부동산컨설팅입니다. 부동산컨설팅은 부동산의 입지 환경과 특성 조사·분석을 통해 부동산 이용을 최대화할 수 있는 방안을 연구하며 재개발과 부동산 관련 법규와 세제 등에 대한 자문을 하는 전문화된 직업군입니다.

공인중개사 자격증 취득 후 선택할 수 있는 직업의 전문성이 더해짐에 따라 선진국형 중개업으로 자리를 잡아가고 있습니다. 기존 장·노년층만을 위한 자격증에서 20~30대의 직업 선택의 폭을 넓혀 주는 자격증으로 범위를 넓혀가고 있습니다.

66

기회는 강력한 것이다.
웅덩이에 고기가 조금이라도 있을 것 같다면
그곳에 항상 낚싯바늘을 드리우라.
그러면 고기를 잡을 수 있다.
– 오비드 –

99

3. 공인중개사 시험정보

(1) 2025 공인중개사 시험일정

구분	인터넷 / 모바일(App) 원서 접수기간	시험시행일	합격자발표
일정	매년 8월 2번째 월요일부터 금요일까지 (2025. 8. 4~8. 8 예정)	매년 10월 마지막 주 토요일 시행 (2025. 10. 25 예정)	11월 중
장소	원서 접수시 수험생이 시험지역 및 시험장소를 직접 선택		

※ 제 1·2차 시험이 동시접수·시행됩니다.
※ 정기 원서접수 기간(5일간) 종료 후 환불자 범위 내에서만 선착순으로 추가 원서접수를 실시(2일간)하므로, 조기 마감이 될 수 있습니다.
※ 확정 시험시행계획 공고는 2025년 7월 중에 확인할 수 있습니다.
※ 한국산업인력공단 홈페이지(www.Q-Net.or.kr/site/junggae)를 참조하세요.

(2) 시험시간

구분	교시	시험과목	시험시간 입실시간	시험시간 시험시간
제1차 시험	1교시	2과목	09:00까지	09:30~11:10(100분)
제2차 시험	1교시	2과목	12:30까지	13:00~14:40(100분)
	2교시	1과목	15:10까지	15:30~16:20(50분)

※ 수험자는 반드시 입실시간까지 입실하여야 합니다(시험 시작 이후 입실 불가).
※ 개인별 좌석배치도는 입실시간 20분 전에 해당 교실 칠판에 별도 부착합니다.
※ 위 시험시간은 일반응시자 기준이며, 장애인 등 장애유형에 따라 편의제공 및 시험시간 연장 가능합니다(장애 유형별 편의제공 및 시험시간 연장 등 세부내용은 큐넷 공인중개사 홈페이지 공지사항 참조).
※ 2차만 응시하는 시간 연장 수험자는 1·2차 동시응시 시간 연장자의 2차 시작시간과 동일 시작

(3) 응시자격

• 제한 없음

다만, 다음의 각 호에 해당하는 경우에는 공인중개사 시험에 응시할 수 없음

① 공인중개사시험 부정행위자로 처분 받은 날로부터 시험시행일 전일까지 5년이 지나지 않은 자(공인중개사법 제4조의3)

② 공인중개사 자격이 취소된 후 시험시행일 전일까지 3년이 지나지 않은 자(공인중개사법 제6조)

③ 이미 공인중개사 자격을 취득한 자

(4) 합격자 결정 방법

• **제1차 시험**: 매 과목 100점 만점으로 하여 매 과목 40점 이상, 전 과목 평균 60점 이상 득점한 자

• **제2차 시험**: 매 과목 100점 만점으로 하여 매 과목 40점 이상, 전 과목 평균 60점 이상 득점한 자

※ 1·2차 시험 응시자 중 제1차 시험에 불합격한 자의 제2차 시험은 무효로 함(공인중개사법 시행령 제5조 제3항)

※ 제1차 시험 면제 대상자: 2024년 제35회 제1차 시험에 합격한 자

(5) 원서 교부 및 접수 등

• **원서교부**: 원서교부는 국가시험 공인중개사 홈페이지(www. Q-Net.or.kr/site/junggae)또는 모바일 큐넷앱에 접속하여 회원 가입하는 것으로 갈음함

• **원서접수**: 인터넷 또는 모바일(App) 접수

• **방법**

 – 국가자격시험 공인중개사 홈페이지(www.Q-Net.or.kr/ site/junggae)에 접속하여 소정의 접수절차를 거쳐 접수

 – 시험에 응시하고자 하는 자는 인터넷 원서 접수시 최근 6개월 이내에 촬영한 여권용 사진(3.5×4.5cm)을 JPG파일로 등록 해야 함

 – 인터넷접수가 어려운 수험자를 위해 공단 권역별 지역본부 및 지사에서 인터넷 원서접수 도우미서비스 제공

※ 단, 토·일요일·공휴일 제외
※ 방문시 준비물: 신분증, 사진1매(3.5×4.5㎝), 전자결제 수단(신용카드, 결제통장 등)

(6) 시험시행 및 채점 방법

• 제1차 시험과 제2차 시험을 구분하여 같은 날에 시행하되, 모두 객관식 5지 선택형으로 출제

※ 1·2차 시험 응시자가 1차 시험을 응시하고, 2차 시험은 결시하더라도 1차 시험 성적
 은 유효함

• 답안작성은 OCR 카드에 작성하며, 전산자동 채점방식으로 채점

(7) 시험과목 및 출제비율

구분	시험 과목	시험 범위	출제비율
제1차 시험 1교시 (2과목)	부동산학개론 (부동산감정평 가론 포함)	1. 부동산학개론	85% 내외
		2. 부동산감정평가론	15% 내외
	민법 및 민사특별법 중 부동산중개에 관련되는 규정	1. 민법의 범위 1) 총칙 중 법률행위 2) 질권을 제외한 물권법 3) 계약법 중 총칙·매매·교환·임대차	85% 내외
		2. 민사특별법의 범위 1) 주택임대차보호법 2) 집합건물의 소유 및 관리에 관한 법률 3) 가등기담보 등에 관한 법률 4) 부동산 실권리자명의 등기에 관한 법률 5) 상가건물 임대차보호법	15% 내외
제2차 시험 1교시 (2과목)	공인중개사의 업무 및 부동산 거래신고에 관한 법령 및 중개실무	1. 공인중개사법	70% 내외
		2. 부동산 거래신고 등에 관한 법률	
		3. 중개실무	30% 내외
	부동산공법 중 부동산중개에 관련되는 규정	1. 국토의 계획 및 이용에 관한 법률	30% 내외
		2. 도시개발법	30% 내외
		3. 도시 및 주거환경정비법	
		4. 주택법	40% 내외
		5. 건축법	
		6. 농지법	
제2차 시험 2교시 (1과목)	부동산공시에 관한 법령 및 부동산 관련 세법	1. 부동산등기법	30% 내외
		2. 공간정보의 구축 및 관리 등에 관한 법 률 제2장 제4절 및 제3장	30% 내외
		3. 부동산 관련 세법(상속세, 증여세, 법 인세, 부가가치세 제외)	40% 내외

Tip 답안은 시험시행일에 시행되고 있는 법령을 기준으로 작성

공인중개사 100% 합격 가이드

1. 들어가며

공인중개사 시험에 도전하고자 하는 수험생들을 보면 다양한 연령, 환경에 처해있는 것을 보게 됩니다. 대학에 재학 중이면서 공인중개사 시험을 준비하는 유형, 직장을 다니면서 짬짬이 시간을 내어서 공부하려고 마음먹은 유형, 은퇴 후 준비를 위해 공인중개사 시험에 도전하는 중장년층, 아이를 키우면서 육아와 함께 공부도 병행하기로 마음먹은 주부, 취업을 준비하는 학생 등 다양한 유형이 있습니다.

이러한 다양한 계층, 연령, 환경 때문에 절대적이고도 완벽한 수험의 원칙은 있을 수 없습니다. 다만 우리는 각자가 처한 상황과 현실 속에서 효율적인 수험의 방법을 고민해야 하고, 각자의 수험 기간을 설정해야 합니다. 직장인이라면 아무래도 주중에는 공부시간을 2~3시간 내기도 벅찰 수 있습니다. 이럴 경우에는 주중에는 적은 시간이라도 꾸준히 공부하고 주말에 시간을 많이 할애하여 주중에 못한 절대 공부량을 채우는 방법으로 수험 방법을 설정해야 합니다. 육아와 함께 수험을 병행하기로 한 주부들은 아무래도 아이가 학교에 간 시간을 적절히 이용해서 학원 수업과 함께 자습을 병행하는 것이 좋은 방법이 될 수 있습니다. 공부를 오랫동안 손에서 놓았기 때문에 요점을 잡아주고 맥락을 짚어줄 수 있는 전문적인 강사가 필요한 것입니다. 또한 대학에 재학 중이면서 공인중개사 자격 시험을 준비하고자 하는 학생이라면 방학 기간을 효율적으로 활용하면 좋습니다. 아무래도 학기 중에는 중간 시험, 기말 시험 등으로 짬이 나지 않으니 방학 3개월 정도를 확실하게 시험 공부에 할애할 수 있을 것입니다. 이렇듯 각자가 처한 상황에 따라 수험의 방식이 다를 수 있습니다.

사람들은 각자 이해의 방식과 이해의 속도, 공부 방법이 다 다릅니다. 따라서 자기에게 적합한 수험 방법을 설정해서 정확한 목표를 향해 매진해야 합니다. 물론 공인중개사 시험이 초심자가 도전하기에 만만하지 않을 수 있습니다. 그러나 열심히 노력하고 합격하고자 하는 굳은 의지로 공부에 임한다면 도전하는 사람 누구라도 합격 가능한 시험이기도 합니다. 만점을 받고자 공부하는 시험이 아니라 절대평가인 시험이고 평균 60점 이상 득점하고 과락이 발생하지 않으면 합격하는 시험이기 때문에 전략적인 접근이 필요합니다. 따라서 학문적으로 수험에 접근하지 말고, 철저히 시험을 위한 공부를 해야 합니다.

시험을 위한 공부를 할 때 가장 중요한 것은 기출문제를 먼저 파악하는 것입니다. 최근 5~6개년 기출문제를 철저히 분석해서 어떤 문제가 잘 나오는지, 어느 단원이 중요한지, 핵심적인 사항은 무엇인지 파악하는 것이 중요한 것입니다. 시험 공부를 하는 수험생이라면 기출문제집과 기본서, 이 두 가지는 기본이라 하는 이유가 여기에 있는 것입니다. 사실 기출문제만 철저히 풀어서 내 지식으로 만든다면 기출문제에서 약간의 변형을 가한 문제들도 손쉽게 맞출 수 있습니다. 정답만 알아서는 안 되고 오답은 왜 오답인지 그 이유까지 알아야 합니다. 여러분이 지금 기출문제를 푸는 과정은 모의 시험과 마찬가지입니다. 시험장에 들어가기 전까지 이 모의 시험에 얼마나 많은 노력을 기울였는가가 실전 시험에서의 당락을 가르게 됩니다. 모의 시험에서 100점 받는 것은 아무 소용이 없습니다. 차라리 모의 시험에서는 더 많이 틀릴수록 더 철저한 공부가 됩니다.

틀린 부분이 많으면 더 열심히 공부하게 되니까요. 그러므로 모의 시험에서의 결과에 일희일비하지 마십시오. 중요한 것은 실전입니다.

1차 과목 중에서는 수험생들이 가장 어려워하는 과목이 민법입니다. 아무래도 법률전공자가 아닌 수험생 입장에서는 법률행위, 임의대리, 복대리, 무효와 취소, 계약의 해지와 해제 등 단어조차도 너무 생소하고 어렵게 느껴지는 것이 현실입니다. 따라서 민법을 이해하고자 할 때에는 용어, 개념, 정의를 먼저 이해하려고 노력해보십시오. 의사표시, 법률행위, 의사표시의 효과, 대리 등 가장 중요한 개념을 먼저 확실히 다잡아야 합니다. 법률은 그리 어렵고 딱딱한 과목만은 아닙니다. 우리 현실 사회에서 일어나는 일이고, 여러분이 공인중개사가 된다면 가장 잘 알아야 할 과목이기도 합니다. 그만큼 생활과 사회, 현실에 밀접하게 관계를 맺고 있다고 보시면 됩니다. 어렵다고 생각하면 한없이 어렵게만 느껴집니다. 일상생활 속에서 일어나는 법률행위를 관찰해보고 배운 것을 대입해 보세요. 농담으로도 법률행위를 써보는 날이 올 것입니다.

66

반드시 해야 하는 일부터 하라.
그런 다음 할 수 있는 것을 하라.
그러면 불가능하다고 생각했던 것을 해내고 있는 자신을
발견하게 될 것이다.
- 아시시의 성 프란체스코 -

99

2. 수험의 전략을 세워라

어떤 일을 할 때에 명확한 계획과 세부 전략을 가지고 임하는 사람과 무턱대고 일을 실행하는 사람 사이에는 큰 차이가 존재합니다. 우리가 수험 생활에 임할 때에도 마찬가지입니다. 첫째 명확한 목표를 설정해야 합니다. '목표'는 어떤 목적을 이루고자 지향하는 실제적 대상, 도달해야 하는 지점을 말합니다. 따라서 목표는 명확하고 구체적일수록 수험 생활 기간 동안 지속적인 동기부여가 가능합니다. 현재 우리가 준비하고자 하는 공인중개사 시험이 여러분의 삶의 어떤 목표와 부합하는지 곰곰이 떠올려 보세요. 여러분은 무엇을 위해서 이 시험을 준비하기로 결정했나요? 가장 먼저 떠오르고 머릿속에 오래 남는 것이 바로 목표가 될 것입니다.

그렇다면 그 목표를 위해 우리는 무엇을 실행해야 할까요? 어떻게 실행할지, 얼마의 기간을 설정할지, 누구의 조언과 도움을 받을지 등을 전략적으로 계획해야 합니다. 바로 이 '어떻게'에 해당하는 것이 공부 방법, 장기·단기 계획이 될 것이며 '얼마의 기간 내'에 이 목표를 달성할지는 수험 기간이 될 것입니다. 또한 우리가 이 시험에 합격하기 위해서 누구의 조언과 도움을 받을지를 정하는 것도 매우 중요합니다. 인생에서 가장 힘들고 어려운 시기를 지날 때에 언제든 도움을 요청하고 내 마음을 이야기 할 수 있는 단 1명의 사람이라도 있다면 우리는 어떤 힘든 시간도 버텨낼 수 있다고 합니다. 수험 기간 동안 정신적 버팀목이 될 사람, 수험 기간을 효과적으로 보내게 해 줄 수 있는 훌륭한 조언자가 반드시 필요하다 할 것입니다.

우리는 이러한 훌륭한 조언자를 자처하며 이 책을 출간하게 되었습니다. 지금부터 효과적이고 전략적인 학습 방법을 통해 공인중개사 자격증 취득 100%에 성공하는 방법을 알아보도록 하겠습니다.

3. 수험 계획 설정

(1) 효과적이고 좋은 계획은 무엇일까요?

잘 짜인 계획표, 좋은 계획안은 어떤 것일까요? 남이 보기에 좋은 계획표, 남에게 자랑하기 위한 계획표는 아무 쓸모가 없습니다. 수험 생활에서 가장 잘 알아야 하는 것은 바로 자기 자신입니다. 자신이 어떤 타입의 사람인지, 공부 습관은 어떠한지, 무엇을 가장 자신 있어 하며 가장 자신 없는 과목은 무엇인지 빨리 파악하는 사람이 빨리 합격할 수 있습니다. 공인중개사 시험은 100점을 받기 위한 시험이 아닙니다. 전과목 평균 60점 이상 득점하면 합격하는 시험입니다. 무엇보다 중요한 것은 한 과목이라도 과락이 나지 않는 것입니다. 과락은 만점의 40% 이상을 득점하지 못한 것을 말합니다. 즉 아무리 다른 과목에서 점수를 잘 받았다고 해도 1과목에서 40점 미만 득점한다면 시험에서 떨어진다는 이야기입니다. 또한 공인중개사 시험은 1차 2과목과 2차 3과목을 같은 날 하루에 치르는 시험입니다. 여기에서 다른 국가공인 시험과의 차이가 존재합니다.

다른 시험들은 1차와 2차 시험일이 다릅니다. 그러나 공인중개사 시험은 1차와 2차를 동일한 날 하루에 보게 됩니다. 따라서 여러분은 명확한 목표를 설정해야 합니다. 이를테면 1차, 2차를 동차로 합격하겠다, 1차 시험에 합격하고 유예의 이득을 보겠다 등 전략적인 접근을 해야 합니다.

계획을 세울 때에 가장 중요한 것은 무리하게, 욕심을 부리지 않는 것입니다. 누구나 그렇듯 처음에는 공부에 대한 의욕이 충만해서 이것도 할 수 있고 저것도 할 수 있고 심지어 하루에 10시간도 공부할 수 있을 것만 같습니다. 그러나 1주일에 10시간씩 3일 공부하고 빨리 포기하는 수험생보다 하루에 4시간이라도 꾸준히 공부하는 수험생이 마지막에는 합격의 영광을 안을 수 있습니다. 공부는 절대 몰아쳐서 하면 안 됩니다. 누구나 공부할 때에는 벼락치기의 유혹에 휩싸입니다. 그러나 모든 공부는 절대 몰아쳐서 해결할 수 없습니다. 하루에 일정 시간, 일정한 학습량을 학습해야 합니다. 벼락치기가 위험한 이유는 공부에 대한 흥미를 빨리 잃게 할뿐더러 쉽게 기억에서 잊히게 한다는 데에 있습니다. 벼락치기한 내용을 당장 5분 뒤, 혹은 1시간 뒤에 시험 본다면 100점을 맞을 수 있습니다. 그러나 벼락치기한 내용을 1주일 뒤, 한 달 뒤, 1년 뒤에 시험 본다면 절대 그 점수를 획득할 수 없습니다. 벼락치기의 위험성은 바로 여기에 있습니다. 누구나 학창시절 당장 내일 시험을 위해서 벼락치기해 본 경험이 있을 것입니다. 여러분은 그 내용을 지금도 기억하시나요?

우리가 준비하는 시험은 짧게는 10개월, 길게는 1년, 더욱 길게는 2년을 바라볼 수도 있는 장기적 시험입니다. 시험이 1년에 한 번이다 보니 한 번의 기회를 놓치면 다시 1년을 기다려야 합니다. 그렇기에 우리는 기억을 최대한 오래 보존하고, 단기기억을 장기기억으로 전환시키는 공부를 해야 합니다. 장기기억으로 전이시키기 위해 가장 중요한 학습 방법은 일정한 시간, 일정한 학습량을, 빠지지 않고 반복적으로, 주기적으로 학습하는 것입니다.

(2) 100% 완벽하고 100% 달성 가능한 계획은 없다

좋은 계획은 현실을 반영하면서 지속적인 동기 부여가 가능하도록 자신의 목표치의 70~80%를 충족하는 계획입니다. 계획을 완벽하게 달성하기란 어렵습니다. 다만 자신에게 맞도록 계획을 거듭 수정하며 더 나은 계획으로 이전할 수는 있습니다.

❶ 1년 계획을 세워라

수험에서 가장 중요한 것은 자신을 파악하는 것이라 했지요? 일단 공부를 하기로 마음먹었다면 차분한 마음으로 깨끗한 종이에 올해 달성하고픈 1년 목표를 써보세요. 2025년 제36회 공인중개사 시험에 반드시 합격하겠다, 3개월 내에 기본서 1회독을 완성하겠다, 2개월 내에 민법 동영상 강의 1회 완강과 기출 5개년 분석을 끝내겠다 등 종국적 목표를 위한 점차로 세부적인 목표를 써놓으면 됩니다. 참고적으로 학원 강의의 1년 커리큘럼을 살펴보도록 하겠습니다.

11,12월	1,2월	3,4월	5,6월	7,8월	9,10월
기초 입문 강의	기본 이론 강의	심화 이론 강의	단원별 문제 풀이	핵심 요약 강의	이론 총정리 & 족집게 100선
		기출 문제 특강	테마 특강	단원별 모의고사	동형실전 모의고사

11, 12월 2개월간은 기초 입문강의로 용어, 개념을 차근차근 이해하는 것에 중점을 둡니다. 너무 세세한 것보다는 기본서의 압축적

인 내용을 한번 훑어본다는 취지로 공부하면 됩니다. 이때에는 너무 많은 것을 외우려고 하지 말고 이해하는 것에 중점을 두면 됩니다. 1, 2월 2개월간은 기본 이론강의를 수강하면서 전체적인 흐름을 파악하면 됩니다. 기본서를 처음부터 끝까지 1회독 하게 되면 공인중개사 시험 범위 전체에 대해 명확하게 파악할 수 있게 됩니다. 정규 이론강의인 만큼 이론의 이해에 중점을 두면서 기본서의 내용 중 강약을 짚어내야 합니다. 3, 4월에는 기출문제 특강을 통해서 기출문제에 대한 완벽한 분석과 풀이를 해야 합니다. 기출문제를 철저하게 분석하면서 자신이 잘 모르는 개념이나 시험에 잘 나오는 개념과 이론 중 부족한 부분을 보충하면서 공부하면 됩니다.

앞에서 제시한 학원 1년 커리큘럼은 필수적인 것이라기보다는 공부의 방법을 제시하는 하나의 예시입니다. 따라서 본인의 학업 성취도, 이해력, 실력 등에 따라 선택적으로 강좌를 수강할 수 있습니다. 예를 들어 기본 이론강의를 수강하고 나서 어느 정도 충분히 기본서의 강약을 잡아낼 수 있고, 이해가 잘 된다면 따로 강의를 수강하지 않아도 됩니다. 그러나 혹시 자신이 없거나 취약한 과목이 있다면 심화 이론 강의나 핵심 요약강의 등을 통하여 좀 더 보충해도 되는 것입니다.

마찬가지로 단원별 모의고사나 단원별 문제풀이 특강 같은 경우에도 혼자서 독학이 가능한 수험생이라면 굳이 선택하지 않아도 됩니다. 자신이 혼자 문제를 풀어도 일정 범위, 일정량을 잘 준수해서 꾸준히 실천할 수 있는 수험생이라면 혼자 문제를 푸는 것이 더 많은 양을 빠르게 공부하는 방법이 될 수도 있습니다. 그러나 혼자 문제를 풀다보면 하루 이틀 밀리게 되고, 금세 포기하기 쉽습니다. 문제를 풀고 해설을 보아도 잘 이해가 되지 않을 수도 있습니다. 이런 경우에는 같이 문제를 풀고 어느 정도 강제력이 부여되는 학원 강의가 적절할 수 있는 것입니다.

동형 모의고사는 실전에 가장 잘 대비할 수 있는 방법이 될 수 있습니다. 실전에 바로 들어가게 되면 아무래도 떨리고, 시간 배분하는 것에 대한 대처를 잘 못할 수 있습니다. 따라서 가장 실전과 비슷한 상황에 자신을 여러 번 놓아보는 것이 필요합니다. 그러면서 시험 시간 배분에 대한 요령도 터득하고 시험에서 예기치 못한 상황을 만나도 능숙하게 대처할 수 있게 되는 것입니다.

❷ 세부 계획을 세워라

다음으로 한 달 계획을 세워보세요. 이번 달에는 민법 기본서를 400p 정도 공부하고 동영상 강의를 1회 완강하면서 기출 5개년 분석을 병행하겠다. 이렇게 대략적으로 한 달간의 최우선 중점 계획을 설정하면 됩니다.

이제 1주일 단위의 계획을 세웁니다. 이때 1주일 중 1일(혹은 2일) 정도는 자신이 이번 주에 다하지 못한 공부를 마무리할 수 있도록 여유롭게 잡아두는 것이 좋습니다. 예를 들어 월요일부터 금요일까지는 동영상 강의와 민법 자습(스스로 공부하기), 기출문제 20문제씩 분석을 한다면 토요일은 5일 동안의 공부 중 마무리하지 못한 부분, 이번 주 공부에서 가장 어렵거나 힘들었던 부분, 이번 주 공부를 다시 한 번 전체적으로 통독하거나 복습하는 시간으로 설정해 두는 것입니다. 이렇게 1주 단위의 공부를 마무리 짓고 가야 계획이 무기한 밀리는 것을 막을 수 있습니다. 토요일은 평소보다 공부할 수 있는 시간을 3~4시간 정도 더 설정하고 보다 자기 스스로 공부하는 시간을 많이 할애하도록 하세요. 그리고 1주일 중 1일 정도는 편안히 쉬고 자기만의 여가를 갖는 것이 좋습니다. 수험 기간이 10개월 이상 장기전으로 치달을 때에는 잘 쉬는 것도 잘 공부하기 위한 자기 관리의 일환입니다.

╋ 자세히 보기 **공인중개사 합격플래너 활용법**

오늘 무엇을 해야 할지 계획하고 오늘 무엇을 했는지 반성해봅니다. 각자 오늘 꼭 해야 하는 학습목표량을 정해보세요. 인터넷 강의를 수강하는 수험생이라면 하루에 2~3강씩 꼭 들을 것, 듣고 나서 혼자 기본서를 회독하면서 핵심을 추려볼 것, 해당 단원에 대한 문제를 하루에 20개씩이라도 풀어볼 것, 틀린 문제는 따로 정리해서 볼 수 있도록 오답노트를 만들 것 등 세세하고 구체적일수록 좋습니다.

● WEEKLY PLAN

목표를 람해 해야 할 일

- □ 부동산학개론 인강 매일 2강씩 듣기 (졸지 않기!!)
- □ 부동산학개론 기본서 (p.99~146) 1회독하고 핵심정리
- □ 부동산학개론 문제 풀이 매일 20개
- □ 오답노트 정리

MON (월) 부동산학개론 11강 ~ 12강 듣기

부동한학개론 기본서 (p.99~122) 1회독하고 핵심정리

부동산학개론 문제 풀이 20개

오답노트 정리

TUE (화) 부동산학개론 13강 ~ 14강 듣기

부동한학개론 기본서 (p.123~129) 1회독하고 핵심정리

부동산학개론 문제 풀이 20개

오답노트 정리

WED (수) 부동산학개론 15강 ~ 16강 듣기

부동한학개론 기본서 (p.129~146) 1회독하고 핵심정리

부동산학개론 문제 풀이 20개

오답노트 정리

주건 플래너 활용법

🏃 실제로 내가 한 일

▢ 부동산학개론 인강 매일 2강씩 듣기 (졸지 않기!!)	✓
▢ 부동산학개론 기본서 (p.99~146) 1회독하고 핵심정리	✓
▢ 부동산학개론 문제 풀이 매일 20개	✓
▢ 오답노트 정리	✓

MON (월) 부동산학개론 11강 ~ 12강 듣기	✓
부동한학개론 기본서 (p.99~122) 1회독하고 핵심정리	✓
부동산학개론 문제 풀이 20개	✓
오답노트 정리	✓
	☐

TUE (화) 부동산학개론 13강 ~ 14강 듣기	✓
부동한학개론 기본서 (p.123~129) 1회독하고 핵심정리	✓
부동산학개론 문제 풀이 20개	✓
오답노트 정리	△
	☐

WED (수) 부동산학개론 15강 ~ 16강 듣기	✓
부동한학개론 기본서 (p.129~146) 1회독하고 핵심정리	✓
부동산학개론 문제 풀이 20개	✓
오답노트 정리	✓
	☐

주간플래너 활용법

(3) 책상에 앉아 공부하는 습관을 기르자

수험 생활에 처음 입문하는 수험생들이 가장 힘들어하는 것이 무엇일까요? 바로 규칙적인 공부의 습관을 기르는 것입니다. 우리 대부분은 학창시절을 제외하고 짧게는 1~2년, 길게는 10년 가까이 공부를 손에서 놓았던 상태입니다. 이렇게 공부와 멀어져 있던 사이 우리에게는 다양한 안 좋은 습관이 생겼을 것입니다. 예를 들면

스마트폰이 없이는 단 1시간도 집중할 수 없다는 학생, SNS 메신저에 유독 신경을 많이 쓰는 학생, 친구들과 어울려 보내는 시간이 너무 즐겁다는 학생, 집안에 신경 쓸 일이 많아 100% 공부에 집중하기 힘들다는 학생 등 여러 가지 이유가 있을 수 있습니다.

공부에 처음 입문하는 3개월, 가장 중요한 것은 책상에 앉아 최소 2시간 이상 집중해서 공부할 수 있는 습관을 기르는 것입니다. 습관이라 함은 내가 부단히 노력하지 않아도 자연스럽게 그렇게 되는 상태, 즉 어떤 행위를 오랫동안 반복하는 과정에서 저절로 익혀진 행동 방식을 말합니다. 처음부터 좋은 습관을 가질 수는 없지만 좋은 습관을 점차 만들어갈 수는 있습니다. 한 번 지각을 하게 되면 그 사람은 내일도 늦잠을 자게 되기 쉽습니다. 한 번 수업을 빼먹는 것은 어렵지만 두 번, 세 번째부터는 수업을 빼먹어도 아무런 죄책감을 느끼지 않게 됩니다.

습관은 이렇게 무섭습니다. 자연스럽게 체득된 것이기 때문에 바꾸기도 무척 어렵습니다. 따라서 수험 생활 초기 3개월, 이 시기에 우리는 공부하는 바른 습관을 가지려고 노력해야 합니다. 무슨 일이 있어도 하루 일정 시간은 공부에 오롯이 집중하는 습관을 길러야 합니다. 여기에는 여타의 이유를 대지 않습니다. 시간이 없어서, 회사 일이 바빠서, 가정에 신경써야 할 일이 있어서 등 스스로 자신이 공부하지 못한 합리적 이유를 찾으려 해서는 안 됩니다. 한 번 핑계를 대기 시작하면 같은 이유로 공부하지 못한 날들이 반복되고 결국 수험 생활이 장기화되는 결과만을 초래할 뿐입니다.

4. 인터넷 강의, 학원 강의 어떻게 들어야 하나?

(1) 인터넷 강의 똑똑하게 듣자!

인터넷 강의를 수강하고자 한다면 먼저 다양한 사이트를 참조해보면서 샘플 강의를 들어보는 것이 좋습니다. 유명한 강사, 1타 강사이런 말에 현혹되지 마시고 여러분이 듣기에 가장 편안한 목소리와 톤, 발음을 가진 강사, 여러분의 귀에 쏙쏙 들어오는 강의력을 가진 강사를 선택하세요. 아무리 남들이 좋다고 해도 내가 싫으면 그만입니다. 남들의 말에 현혹되기 보다는 여러분 스스로 어떤 강사가 가장 좋을지 샘플 강의를 들으면서 판단해야 합니다.

강의 선택이 끝났다면 그 다음으로 할 일은 교재와 필기구 등을 차분히 준비한 뒤 정돈된 마음으로 책상 앞에 앉는 것입니다. 이때 여러분이 해야 할 일은 가능한 책상에는 공부에 꼭 필요한 필기구, 기본서 외에 다른 것을 두지 말라는 것입니다. 다른 것에 관심 갈 틈을 주지 말자는 것이지요. 또한 잠깐만 인터넷 검색해야지, 인터넷 쇼핑하고 강의 들어야지, 화장실 다녀온 뒤 들어야지, 스마트폰 좀 확인해야지 등의 이유로 강의를 미루거나 중단하지 않는 것입니다. 일단 하루에 명확하게 2~3강 수강 목표를 정했다면 정해진 수강 강의를 완강할 때까지는 다른 일은 하지 않습니다. 공부 중에 인터넷 검색, 스마트폰, 기타 게임 등을 하다보면 어느새 공부는 뒷전이 되고 맙니다. 그리고 시간이 2~3시간 훌쩍 가버리지요. 또한 마음속에는 목표한 공부량을 채우지 못했다는 죄책감만 남게 될 것입니다. 그런 상태로는 공부를 계속해 나갈 수 없게 됩니다.

제일 먼저 이것을 기억하세요! 하늘이 두 쪽이 나도 나는 오늘 2~3강 목표 강의를 제일 먼저, 우선 완강한다!

(2) 학원 강의는 어떻게?

혼자서는 막막하고 어떻게 어디서부터 공부해야할지 막막하다면 학원 강의를 수강하는 것도 좋은 방법이 될 수 있습니다. 보통 의지력이 약하거나, 혼자서는 학습 페이스를 찾기 힘들다거나, 혹은 재빨리 과목별 핵심, 중요도를 선별해내고 싶은 경우라면 학원 강의 수강이 좋은 방법일 것입니다. 학원 강의를 선택할 때에는 자신의 상황에 맞고, 자신의 경제적 수준에 맞으며, 한 달 이상 다니기에 좋은 위치 등을 종합적으로 고려해야 합니다. 너무 먼거리로 학원을 다니다보면 체력적으로도 지칠 수 있고 오며가며 시간을 많이 보내게 됩니다. 따라서 자신이 현재 거주하는 곳의 위치, 자신이 가장 잘 들을 수 있는 강의 타입, 경제적 수준 등을 고려해서 학원을 선택하는 것이 좋습니다.

학원 강의를 듣기로 결정했다면 마음가짐부터 가다듬어야 합니다. 한 번 선택한 이상 자신이 한 선택을 믿고 꾸준히 강의를 수강하는 것이 중요합니다. 수업을 빼먹거나 하게 되면 흐름을 놓치게 되고 다음 수업도 듣기가 싫어집니다. 그러니 제일 중요한 1차 단기 목표는 학원 수업 한 번도 빠지지 않기, 한 번도 졸지 않기로 잡는 것이 좋습니다.

자리만 채우고 앉아 있다고 공부가 저절로 되는 것은 아닙니다. 먼저 학원에서 들을 수업 분량을 체크한 후 간단하게라도 전체 분량을 빠르게 통독하는 것이 좋습니다. 우리는 이것을 예습이라고 합니다. 예습이라는 말 때문에 너무 부담 갖지는 마세요. 전체 분량을 훑어보면서 공부할 내용을 미리 살펴보는 것입니다. 10~20분

정도의 시간이 적당합니다. 잘 이해가 되지 않는 개념이나 이론 옆에는 물음표를 그려 두었다가 수업 시간에 경청하면 좋습니다. 수업이 끝나도 그 개념이나 이론이 이해가 되지 않는다면 바로 바로 선생님께 수업 후에 질문하여서 그날 모르는 것은 그날 해결하는 것이 좋습니다. 예습을 할 때에는 학습목표, 단원별 주요 키워드, 목차 중심으로 살펴보는 것이 좋습니다.

본 수업이 시작되면 휴대전화 등을 가방에 넣고 무음으로 해 두세요. 최대한 이 수업에 집중해야 합니다. 이 수업 시간은 한 번 흘러가면 영원히 돌아오지 않습니다. 선생님의 말에 최대한 귀 기울이려는 자세를 갖고 필요한 부분은 필기를 하거나 중요하다고 생각하거나 말씀하시는 부분에 표시를 해두세요. 여러분이 복습할 때 좋은 자료가 될 것입니다.

마지막으로 수업이 끝난 후 5~10분 동안 오늘 배운 내용을 흰 종이에 적어보세요. 최대한 핵심 개념을 중심으로 가지치기를 해 나가보세요. 기억하려고 애써보세요. 이런 노력이, 작은 차이가 모여 큰 결과를 이룹니다. 수업이 끝난 직후 시간을 잘 활용해 보세요.

학원 수업을 다 들었다면 이제 여러분은 복습을 해야 합니다. 집에서, 도서관에서, 독서실에서 오늘 배운 내용을 가능하면 오늘 복습하세요. 여러분의 기억이 가장 선명하고 또렷할 때가 바로 지금입니다. 내일 해야지~하는 생각을 하다보면 하루가 밀리고 이틀이 밀리고 1주일이 밀립니다. 오늘 배운 내용이 몇 장 되지 않는다고 하더라도 오늘 배운 것은 오늘 다 정리하고 내 것으로 만들겠다는 마음가짐을 가지는 것이 중요합니다.

5. 독학? 그것이 고민이다

(1) 독학에서 중요한 것은 꾸준한 실천력!

강한 의지력을 가진 수험생이라면 독학의 방법도 충분히 합격으로 가는 길이 될 수 있습니다. 다만 여러분이 합격하기 위해서는 명확하게 아는 것과, 모르는 것, 중요한 부분과 그렇지 않은 부분을 잘 선별해내는 눈이 필요합니다. 기출문제를 5~6개년 정도 분석하면서 기본서의 해당 부분 어디에서 출제되었는지 잘 살펴보세요. 명확하게 아는 것, 이건 내가 언제든 자다가도 일어나서 맞힐 수 있는 부분이라면 그건 더 볼 필요가 없습니다. 기출이 잘 되면서 즉, 중요하면서 내가 모르는 부분 여기에 핵심이 있다고 하겠습니다. 출제가 잘 되는데 내가 자신 없고, 이해가 안 된다면 그 부분을 여러 번 반복하면서 읽어보세요. 여러 번 읽는 동안 이해되지 않던 것이 이해되는 경험을 할 수 있을 것입니다.

혼자 공부하기로 마음먹었다면 정해진 학습 계획에 따라 꾸준히 실천하는 의지가 제일 중요합니다. 혼자 공부하게 되면 주변에서 학습 일정을 다그칠 사람도, 모르는 부분을 가르쳐 줄 사람도 없는 것입니다. 따라서 자기 능력에 맞게 명확한 학습 목표와 계획을 가지고 그것을 꾸준히 실천하는 노력이 필요합니다. 기본서를 처음 읽을 때에는 너무 한 줄 한 줄의 의미에 집착하거나 모두 외우려고 하기보다는 전체적인 큰 그림과 맥락 이해, 흐름을 읽는 것이 중요합니다. 특히 부동산학개론 같은 경우에는 공인중개사 시험 과목 중 유일하게 법 과목이 아닌 과목으로서 여러분의 상식에 비추어서 생각해

보면서 기본서를 쭉 한 번 1회독 하는 과정이 중요합니다. 특히 부
동산학개론은 용어나 이론, 개념을 모두 외우려고 하기 보다는 먼
저 이해를 하는 과정이 선행되어야 합니다. 암기 위주의 공부는 출
제 난이도가 낮을 때에는 빛을 볼 수 있을지 몰라도 점점 까다롭게
출제되는 시험의 경향에 비추어보면 이해 위주로 공부하면서 중요
한 부분과 중요하지 않은 부분을 선별해내는 것이 가장 1차적으로
해야 할 일인 것입니다.

(2) 스스로 공부하기의 중요성

학원을 다니든 인터넷 강의를 듣든 제일 중요한 것은 스스로 공부
하기, 즉 자습입니다. 보통 수험생들이 가장 많이 하는 실수가 인
터넷 강의나 학원 강의를 듣고 와서 복습을 하지 않는 것입니다.
보통 강의 수강 시간이 3~4시간이면 하루 중 4시간 정도를 공부
했다는 착각을 하면서 도서관이나 집에 가서 별도로 정리하는 시
간을 갖지 않습니다. 그러나 이는 큰 문제를 불러오게 됩니다. 오늘
공부한 내용을 스스로 정리하고 한 번 더 복기해보는 과정은 공부
에 있어서 매우 중요한 과정입니다. 수험가에서 흔히 하는 말이 '휘
발된다'라는 말입니다. 인터넷 강의나 학원 강의를 듣고 스스로 복
습하고 정리하지 않으면 오늘 배우고 들은 강의의 내용이 금세 휘
발되어 버립니다. 그러면 벌써 1일, 2일, 1주일이 지나게 되고 배
운 내용의 80%도 기억하지 못하게 되는 것입니다. 강의를 들은 4시
간이 고스란히 휘발되어 버린 것이지요. 따라서 우리가 명심해야
할 것은 강의 수강 시간과 별개로 스스로 공부하는 '절대 공부 시
간의 확보'입니다. 이것을 편의상 절대 공부량이라 칭하겠습니다.
이 절대 공부량이 매우 중요합니다. 절대적인 공부 시간이 반드시
확보되어야 한다는 말입니다.

우리 뇌는 배운 것을 자주 기억에서 꺼내서 떠올릴수록 그 내용을 더 잘 기억하게 됩니다. 자주 꺼내어보면 좋고 또한 스스로 그 내용을 책을 보지 않고 생각해 보는 것도 좋습니다. 오늘 배운 내용을 잠시 책을 덮고 흰 종이에 적어보세요. 자세한 내용이 아니어도 좋습니다. 대략적으로 이런 개념과 용어를 배웠고 이런 내용들이었다. 가벼운 마음으로 써내려 가보세요. 5~10분 정도의 시간이면 충분합니다. 여러분의 뇌에서는 그동안 배운 내용을 꺼내기 위해 부단한 작용이 일어날 것입니다. 그 노력과 과정이 중요합니다. 애써서 기억해보려는 과정, 노력이 배운 내용을 더 오래 기억하게 만드는 비결이 됩니다.

"

넘어지는 것은 실패가 아니다.
진정한 실패란 넘어진 상태에서
그대로 머물러 있는 것을 말하는 것이다.
– 소크라테스 –

"

Memo

공인중개사
합격 공부 방법

1. 출제 유형별 분석
2. 제35회 공인중개사 시험 과목별 출제 경향
3. 제36회 공인중개사 시험 공부 방법

1. 출제 유형별 분석

(1) 개념 및 원리 이해 유형

❶ 유형 분석 및 학습 전략

- 공인중개사 시험뿐만 아니라 각종 시험에서 가장 많이 출제되는 유형으로 그 문제에 대한 개념과 원리를 얼마나 잘 이해하고 있는지 또는 유사 개념들 중에서 묻고자 하는 개념을 구체적으로 알고 있는지를 물어보는 문제 유형이다. 지문의 핵심 단어 등을 반대되는 단어로 바꾸어 정상적인 개념과는 상반된 문장을 만듦으로써 "틀린" 문장을 찾거나 "옳은" 문장을 찾는 문제가 출제된다.

- 문장이 길수록 어렵게 느낄 수 있지만 그 의미를 충분히 파악하고 핵심 단어나 출제가능성이 있는 부분을 확실하게 숙지하고 있다면 빠르게 문제를 푸는 동시에 정답을 찾을 수 있고, 지엽적인 부분에서 출제가 된다 하더라도 꼼꼼히 지문을 읽어본다면 정답을 찾을 수 있을 것이다.

❷ 출제 사례

예제1) 부동산의 공급곡선에 대한 설명으로 틀린 것은? (단, 다른 조건은 동일함)

① 한 국가 전체의 토지공급량이 불변이라면 토지공급의 가격탄력성은 '0'이다.

② 주택의 단기 공급곡선은 가용생산요소의 제약으로 장기 공급곡선에 비해 더 비탄력적이다.

③ 부동산 수요가 증가하면, 부동산 공급곡선이 비탄력적일수록 시장균형가격이 더 크게 상승한다.

④ 토지는 용도의 다양성으로 인해 우하향하는 공급곡선을 가진다.

⑤ 개발행위허가 기준의 강화와 같은 토지이용규제가 엄격해지면 토지의 공급곡선은 이전보다 더 비탄력적이 된다.

정답 ④
해설 ④ 토지는 용도의 다양성으로 인해 '우상향'하는 공급곡선을 가진다.

예제2) 도시공간구조이론에 관한 설명으로 틀린 것은?

① 동심원이론에 따르면 저소득층일수록 고용기회가 적은 부도심과 접근성이 양호하지 않은 지역에 주거를 선정하는 경향이 있다.

② 선형이론에 의하면 고소득층의 주거지는 주요 교통노선을 축으로 하여 접근성이 양호한 지역에 입지하는 경향이 있다.

③ 동심원이론에 의하면 점이지대는 고소득층 주거지역보다 도심에 가깝게 위치한다.

④ 다핵심이론에서 도시는 하나의 중심지가 아니라 몇 개의 중심지들로 구성된다.

⑤ 동심원이론은 도시의 공간구조를 도시생태학적 관점에서 접근하였다.

정답 ①
해설 ① 동심원이론에 따르면 저소득계층일수록 고용기회가 많은 부도심과 접근성이 양호한 지역에 주거를 선정하는 경향이 있다.

(2) 법조문 및 사례 문제 유형

❶ 유형 분석 및 학습 전략

• 공인중개사 시험은 법조문 및 그와 관련된 판례와 사례에서 많은 문제가 출제되고 있다. 공인중개사 시험의 수준이 점차 높아지는 것도 과거처럼 단순한 법조문을 나열하여 정답을 찾는 문제가 아니라, 법조문과 관련된 사례와 판례 문제를 출제함으로써 종합적인 사고와 완벽한 이해를 요구하는 방향으로 변하고 있기 때문이다.

• 부동산학개론에서는 법령 관련 문제가 많은 부분을 차지하고 있지 않지만, 민법·민사특별법에서는 법령 관련 사례형 문제와 최신 판례를 포함한 판례 문제가 주를 이루고 있어 법조문과 판례의 중요성을 확실히 보여주고 있다. 2차 과목인 공인중개사법, 부동산공법, 부동산공시법령, 부동산세법 또한 법 과목으로서 최근에는 세부적인 조문을 묻는 문제가 출제되면서 법조문 부분의 출제 범위가 더욱 넓어지고 있기 때문에, 단순한 암기식 공부보다는 종합적인 이론의 이해와 법조문의 암기, 이를 활용한 사례·판례 문제의 정확한 이해가 필요하다.

❷ 출제 사례

예제1) 부동산투자회사법상의 규정에 관한 설명으로 틀린 것은?

① 자기관리 부동산투자회사의 설립자본금은 5억원 이상으로 한다.

② 자기관리 부동산투자회사는 그 설립등기일부터 10일 이내에 대통령령으로 정하는 바에 따라 설립보고서를 작성하여 국토교통부장관에게 제출하여야 한다.

③ 위탁관리 부동산투자회사는 본점 외의 지점을 설치할 수 있으며, 직원을 고용하거나 상근 임원을 둘 수 있다.

④ 감정평가사 또는 공인중개사로서 해당 분야에 5년 이상 종사한 사람은 자기관리 부동산투자회사의 상근 자산운용전문인력이 될 수 있다.

⑤ 위탁관리 부동산투자회사 및 기업구조조정 부동산투자회사의 설립자본금은 3억원 이상으로 한다.

정답 ③
해설 ③ 위탁관리 부동산투자회사는 본점 외에 지점을 설치할 수 없으며, 직원을 고용하거나 상근 임원을 둘 수 없다.

예제2) 진의 아닌 의사표시에 관한 설명으로 틀린 것은? (다툼이 있으면 판례에 의함)

① 진의란 특정한 내용의 의사표시를 하고자 하는 표의자의 생각을 말하는 것이지 표의자가 진정으로 마음속에서 바라는 사항을 뜻하는 것은 아니다.

② 상대방이 표의자의 진의 아님을 알았을 경우, 표의자는 진의 아닌 의사표시를 취소할 수 있다.

③ 대리행위에 있어서 진의 아닌 의사표시인지 여부는 대리인을 표준으로 결정한다.

④ 진의 아닌 의사표시의 효력이 없는 경우, 법률행위의 당사자는 진의 아닌 의사표시를 기초로 새로운 이해관계를 맺은 선의의 제3자에게 대항하지 못한다.

⑤ 진의 아닌 의사표시는 상대방과 통정이 없다는 점에서 통정허위표시와 구별된다.

정답 ②
해설 ② 상대방이 표의자의 진의 아님을 알았을 경우, 진의 아닌 의사표시는 무효가 된다(제107조 제1항 단서).

(3) 개수 선택 문제 유형

❶ 유형 분석 및 학습 전략

• 최근의 출제 경향으로 보아 공인중개사 시험의 수준이 올라갈수록 개수 선택 문제 유형은 더욱 비중 있게 출제될 것이다. 개수 선택 유형 문제는 한 지문이라도 잘못 이해하고 있다면 정답의 오류가 발생할 수 있는 까다로운 문제이기 때문에 수험생에게도 체감 난도가 다소 높게 느껴질 수 있다.

• 개수 선택 문제는 제시된 문장을 확실히 알아야 답을 선택할 수 있는 만큼 정답이 아닌 지문을 먼저 제거하면서 문제를 푸는 것도 쉽게 정답을 찾을 수 있는 좋은 팁이다. 또한 기본 과정을 충실히 학습하였다면 세부적이고 지엽적인 부분에서 개수 선택 또는 박스 안에서의 선택형 문제가 출제된다 하더라도 당황하지 않고 차근차근 풀면 정답을 찾을 수 있다.

❷ 출제 사례

예제1) 「도시 및 주거환경정비법령」상 시장·군수가 관리처분계획의 인가 내용을 고시하는 경우 고시에 포함되어야 할 관리처분계획인가의 요지로 옳은 것을 모두 고른 것은?

㉠ 기존 건축물의 철거 예정시기
㉡ 대지 및 건축물의 규모 등 건축계획
㉢ 분양 또는 보류지의 규모 등 분양계획
㉣ 신설 또는 폐지하는 정비기반시설의 명세

① ㉠, ㉡   ② ㉡, ㉣   ③ ㉠, ㉡, ㉢
④ ㉡, ㉢, ㉣   ⑤ ㉠, ㉡, ㉢, ㉣

정답 ⑤
해설 ⑤ 관리처분계획인가의 요지에는 다음의 사항이 포함된다.
    1. 대지 및 건축물의 규모 등 건축계획
    2. 분양 또는 보류지의 규모 등 분양계획
    3. 신설 또는 폐지하는 정비기반시설의 명세
    4. 기존 건축물의 철거 예정시기

예제2) 다음 중 우리나라 정부의 부동산 시장에 대한 직접개입수단은 모두 몇 개인가?

• 공공토지비축	• 개발부담금	• 취득세
• 공영개발	• 종합부동산세	• 공공임대주택
• 토지수용	• 대부비율(LTV)	

① 3개 　　② 4개 　　③ 5개 　　④ 6개 　　⑤ 7개

정답 ②

해설 ② 공공토지비축, 토지수용, 공영개발, 공공임대주택은 정부의 직접개입수단에 해당되며, 나머지는 간접개입수단에 해당된다.

(4) 괄호 넣기 문제 유형

❶ 유형 분석 및 학습 전략

- 계산 과정 또는 법령상의 단어, 기간, 금액 등과 관련한 괄호 넣기 문제 유형으로, 꼭 알아야 할 계산식이나 법조문 등을 정확히 알고 있는지를 묻는 문제이다.
- 괄호 넣기 문제의 정답을 쉽게 찾기 위해서는 제시된 문장에 대해 정확히 이해하고 암기하고 있어야 한다는 부담이 있을 수 있지만, 난이도나 출제 비중이 높지 않기 때문에 한 번만 확실히 이해하고 준비해 둔다면 어렵지 않게 정답을 찾을 수 있다.

❷ 출제 사례

예제1) 집합건물의 소유 및 관리에 관한 법률상 재건축을 하기 위해서는 구분소유자의 ( ) 이상 및 의결권의 ( ) 이상의 결의가 있어야 한다. 빈 칸에 공통으로 알맞은 것은?

① 2분의 1 　　② 3분의 1 　　③ 3분의 2 　　④ 4분의 3 　　⑤ 5분의 4

정답 ⑤

해설 ⑤ 구분소유자의 5분의 4 이상 및 의결권의 5분의 4 이상의 결의에 따른다(집합건물법 제47조 제2항).

예제2) 개업공인중개사가 임대인 甲과 임차인 乙 사이에 주택임대차계약을 중개하면서 그 계약의 갱신에 대하여 설명하고 있다. 주택임대차보호법상 ( ) 안에 들어갈 내용으로 옳은 것은?

- 乙이 임대차기간 종료 (㉠) 전까지 갱신거절의 통지를 하지 않은 경우, 그 기간 만료시에 전 임대차와 동일한 조건으로 묵시적 갱신이 된다.
- 乙이 (㉡)의 차임액을 연체한 경우에는 묵시적 갱신이 허용되지 않는다.
- 甲이 임대차기간 종료 (㉢) 전부터 (㉣) 전까지의 기간에 갱신거절의 통지를 하지 않은 경우, 그 기간 만료시에 전 임대차와 동일한 조건으로 묵시적 갱신이 된다.
- 묵시적 갱신이 된 후, 乙에 의한 계약해지의 통지는 甲이 그 통지를 받은 날로부터 (㉤)이 지나면 그 효력이 발생한다.

	㉠	㉡	㉢	㉣	㉤
①	1개월	2기	6개월	1개월	1개월
②	2개월	2기	6개월	2개월	3개월
③	2개월	3기	3개월	2개월	1개월
④	3개월	1기	3개월	1개월	3개월
⑤	3개월	2기	6개월	3개월	1개월

정답 ②

(5) 계산 문제 유형

❶ 유형 분석 및 학습 전략

- 공인중개사 시험에서도 해마다 꾸준히 계산 문제가 출제된다. 특히 부동산학개론, 공인중개사법, 부동산세법과 부동산공법에서 보기의 제시된 조건을 계산하는 문제와 사례형 계산 문제 등의 유형으로 출제된다. 제시된 조건은 정확한 공식에 대입하여 계산하여야 하고, 사례형 계산 문제는 지문을 꼼꼼하게 읽고 계산에 필요한 조건들을 확인한 후 공식에 대입하여 계산하여야 하므로 정확한 공식의 암기가 선행되어 있어야 한다.

- 계산 문제 유형은 수험생들이 어려워하는 유형 중 하나지만, 계산 문제는 문제 풀이에 보다 많은 시간을 필요로 하기 때문에 난이도가 높은 문제보다는 비교적 쉽게 정답을 찾을 수 있는 수준의 문제가 출제되므로 기본적인 계산 공식을 정확히 이해하고 암기하고 있다면 어렵지 않게 해결할 수 있다.

- 특정이론에 너무 치우치지 않고 출제경향 수준에서 폭넓게 이론을 통해 원리를 이해하고 출제가능성 있는 계산 문제를 반복하여 풀어보는 노력을 꾸준히 하여야 한다. 그러면 오히려 확실한 점수 득점이 가능하여 좋은 결과를 얻을 수 있다.

❷ 출제 사례

예제1) 주택구입을 위해 은행으로부터 2억원을 대출받았다. 대출조건이 다음과 같을 때, 2회차에 상환해야 할 원리금은? (단, 주어진 조건에 한함)

• 대출금리 : 고정금리, 연 5%

• 대출기간 : 20년

• 원리금상환조건 : 원금균등상환방식으로 연 단위로 매기 말 상환

---

① 1,800만원   ② 1,850만원   ③ 1,900만원
④ 1,950만원   ⑤ 2,000만원

정답 ④
해설 • 1회차: 융자원금=2억원/20=1,000만원, 이자=2억원×5%=1,000만원
        • 2회차: 융자원금=2억원/20=1,000만원, 이자=1억9,000×5%=950만원
        ⇨ 따라서 2회차 원리금은, 1,000+950=1,950만원

예제2) A부동산에 대한 수요의 가격탄력성과 소득탄력성이 각각 0.9와 0.5이다. A부동산 가격이 2% 상승하고 소득이 4% 증가할 경우, A부동산 수요량의 전체변화율(%)은? (단, A부동산은 정상재이고, 가격탄력성은 절댓값으로 나타내며, 다른 조건은 동일함)

① 0.2   ② 1.4   ③ 1.8   ④ 2.5   ⑤ 3.8

정답 ①
해설 ① -1.8%+2%=0.2%, 수요량은 0.2% 증가하는 변화가 발생한다.

$$\frac{\text{수요량의 변화율}}{\text{가격변화율}} = \text{수요의 가격탄력성}$$

$$\frac{\text{수요량의 변화율}}{2\% \text{ 증가}} = 0.9, \text{ 수요량의 변화율}=0.9×2=1.8\%$$
⇨ 가격이 2% 증가했다고 하니 수요량은 1.8% 감소

$$\frac{\text{수요량의 변화율}}{\text{소득변화율}} = \text{수요의 소득탄력성}$$

$$\frac{\text{수요량의 변화율}}{4\% \text{ 증가}} = 0.5, \text{ 수요량의 변화율}=0.5×4=2\%$$
⇨ 정상재이고 소득이 4% 증가했다고 하니 수요량은 2% 증가

예제3) 건축법령상 1,000m²의 대지에 건축한 다음 건축물의 용적률은 얼마인가? (단, 제시된 조건 외에 다른 조건은 고려하지 않음)

• 하나의 건축물로서 지하 2개층, 지상 5개층으로 구성되어 있으며, 지붕은 평지붕임.

• 건축면적은 500m²이고 지하층 포함 각 층의 바닥면적은 480m²로 동일함.

• 지하 2층은 전부 주차장, 지하 1층은 전부 제1종 근린생활시설로 사용됨.

• 지상 5개층은 전부 업무시설로 사용됨.

① 240%   ② 250%   ③ 288%
④ 300%   ⑤ 480%

정답 ①

해설 ① 용적률=[연면적/대지면적]×100이다.
　　　따라서 용적률=[2,400m²/1,000m²]×100=240%가 된다.

2. 제35회 공인중개사 시험 과목별 출제 경향

(1) 부동산학개론

총평

제35회 부동산학개론 시험은 중상 정도의 난이도로 출제되었다 (34회는 중).

앞 번호에 어려운 문제를 집중적으로 배치하고 지엽적인 곳에서 정답을 주는 등 의도적으로 부동산학개론의 난이도를 올리려고 하는 의도가 보였고, 작년과 비교할 때 난이도 하의 문제 4문제 정도가 민법과 개론이 위치를 바꾼 것으로 보인다(작년에는 민법이 어려웠고 올해는 개론이 어려웠다는 의미).

구체적으로 살펴보면, 이론문제는 상(10문항), 중(5문항), 하(16문항)의 난이도로 구성되었고, 계산문제는 상(2문항), 중하(5문항), 하(2문항)의 난이도로 구성되었다. 계산문제는 총 9문제가 출제되었는데 그중 7문제는 충분히 풀 수 있는 전형적인 패턴의 문제가 출제되었다. 계산문제를 모두 버린 수험생들은 올해의 경우 힘들었을 것으로 보여 계산문제를 준비한 수험생에게 유리한 시험이었고, 또한 공법 4문제, 지적법 1문제, 세법 1문제 등이 출제되어 동차준비 수험생에게 유리한 시험이었다고 볼 수 있다.

최근 시험은 난이도 '상'과 난이도 '하'문제가 뚜렷이 구분되고 있어 버릴 것은 버리고 취할 것은 확실하게 공부하는 기존의 방식(난이도의 양극화를 대비한 선택과 집중) 그대로 유지하는 전략이 유효하고,

2차 과목인 공법이나 세법 등으로 난이도 조절을 하는 패턴이 유지되고 있기 때문에 1차 과목에만 집중하지 말고 처음부터 1차와 2차전 과목에 골고루 학습시간을 배분하는 학습방법이 효과적이라 할수 있겠다.

출제 문항 분석

구 분		제31회	제32회	제33회	제34회	제35회	총 계	비율(%)
부동산학 총론	부동산의 개념과 분류	2	2	3	2	4	13	6.5
	부동산의 특성	1	1	1	1	1	5	2.5
	소 계	3	3	4	3	5	18	9.0
부동산학 각론	부동산 경제론	6	6	5	5	4	26	13.0
	부동산 시장론(입지)	5	4	7	6	4	26	13.0
	부동산 정책론	7	4	4	5	6	26	13.0
	부동산 투자론	3	6	5	8	4	26	13.0
	부동산 금융론	4	6	6	3	5	24	12.0
	부동산 관리 및 개발론	5	5	2	4	6	22	11.0
	소 계	30	31	29	31	29	150	75.0
부동산 감정평가론	감정평가의 기초이론	1	1	1	1	2	6	3.0
	감정평가의 방식	5	4	5	4	3	21	10.5
	부동산가격공시제도	1	1	1	1	1	5	2.5
	소 계	7	6	7	6	6	32	16.0
총 계		40	40	40	40	40	200	100.0

(2) 민법·민사특별법

총평

제35회 시험은 박스형 문제 11개, 사례 문제 17개, 부정형(틀린 것은?) 문제 16개가 출제되었다. 긍정형 문제 출제가 예전보다 줄어든 것은 조금 도움이 되었을 것이다. 그러나 박스형 문제의 정답 찾기가 어려웠다는 점, 최근 판례를 응용한 판례 문제들이 많이 출제되었다는 점 등 때문에 체감 난이도는 다소 높았다고 생각한다.

앞부분에서 당황하지 않고 내가 아는 문제만을 풀겠다는 생각으로 접근하였다면 26문제 정도는 충분히 맞힐 수 있었던 시험이었다. 조문과 이론, 판례의 출제비중은 이론 출제가 많이 줄었고, 판례 비중이 여전히 높았다. 지엽적인 판례 출제비중이 높았는데, 이 부분은 앞으로도 대비하기가 어려울 것이다.

앞으로의 시험문제의 난이도는 올해 시험보다 많이 낮아질 것으로 생각하진 않는다. 따라서 합격을 위해서는 정확한 수험방법으로 시험에 접근하여야 한다. 중개사 시험은 절대평가이고, 80점 이상의 점수는 필요하지 않다는 점에 포인트를 두고 내가 맞힐 수 있는 주제에 대하여 중점을 두고 공부하면서 그 부분에 대한 정확성을 높이면 합격에는 큰 문제가 없을 것이다. 처음 공부할 때부터 자주 출제되고 확실하게 맞출 수 있는 문제를 집중적으로 외우는 습관을 들이는 것이 좋다.

출제 문항 분석

구분		제31회	제32회	제33회	제34회	제35회	총 계	비율(%)
민법총칙	법률관계와 권리변동	0	0	0	1	0	1	0.5
	법률행위	1	3	2	2	1	9	4.5
	의사표시	2	1	1	1	4	9	4.5
	법률행위의 대리	4	3	4	3	2	16	8.0
	법률행위의 무효와 취소	2	2	2	2	2	10	5.0
	조건과 기한	1	1	1	1	1	5	2.5
	소 계	10	10	10	10	10	50	25.0
물권법	물권법 일반	1	2	3	2	2	10	5.0
	물권의 변동	3	2	0	2	2	9	4.5
	점유권	1	1	1	1	1	6	3.0
	소유권	2	3	3	2	2	12	6.0
	용익물권	3	3	3	3	4	16	8.0
	담보물권	4	3	3	4	3	17	8.5
	소 계	14	14	14	14	14	70	35.0
계약법	계약법 총론	7	5	5	3	8	28	14.0
	계약법 각론	3	5	5	7	2	22	11.0
	소 계	10	10	10	10	10	50	25.0
민사 특별법	주택임대차보호법	2	2	1	1	1	7	3.5
	상가건물 임대차보호법	1	1	1	1	2	6	3.0
	가등기담보법	1	1	1	1	1	5	2.5
	집합건물법	1	1	2	1	1	6	3.0
	부동산실명법	1	1	1	2	1	6	3.0
	소 계	6	6	6	6	6	30	15.0
총 계		40	40	40	40	40	200	100.0

(3) 공인중개사법·중개실무

총평

제35회 시험의 전체적인 난이도는 제34회 시험과 비슷한 수준으로 출제되었다고 볼 수 있다.

특이한 점은 제1편 공인중개사법령에서 20문제, 제2편 부동산 거래신고 등에 관한 법령에서 7문제, 제3편 중개실무에서 13문제가 출제되어 2편과 3편의 중개실무에 해당하는 분야의 비중이 예년과 달리 매우 높게 출제되었다는 점이다.
그리고 시험범위를 벗어난 민법 및 민사특별법, 집합건물의 소유 및 관리에 관한 법률 분야에서 문제가 출제되어 체감 난이도를 높였다.

최근 제31회부터 제35회까지의 출제경향을 분석해 보면, 내년 제36회 시험도 유사한 범위와 유형의 문제들이 계속해서 출제될 것으로 예상된다.

따라서, 수험생 여러분께서 난도가 높은 사례형 또는 박스형 종합문제를 해결하기 위해서는 기본서를 중심으로 폭넓은 이해와 체계를 먼저 잡고 문제를 접해야 할 것이다.
특히 공인중개사법을 고득점 전략 과목으로 선택하여 합격 전략을 세운 수험생이라면 반드시 이해와 암기를 병행하는 반복적 학습이 요구된다 할 것이다.

출제 문항 분석

구 분		제31회	제32회	제33회	제34회	제35회	총 계	비율(%)
공인중개사 법령	총 설	1	1	2	2	0	6	3.0
	공인중개사제도	1	0	2	1	1	5	2.5
	중개사무소 개설등록 및 결격사유 등	2	3	2	3	2	12	6.0
	중개사무소 등 중개업무제도	10	5	1	0	3	19	9.5
	중개계약 및 부동산 거래정보망	3	1	4	1	2	11	5.5
	개업공인중개사 등의 업무상 의무	4	5	1	9	3	22	11.0
	중개보수 등	2	0	3	1	1	7	3.5
	공인중개사협회 및 보칙	0	2	2	2	3	9	4.5
	지도·감독 및 벌칙	4	6	4	4	3	21	10.5
	법령 통합문제	2	4	1	1	2	10	5.0
	소 계	29	27	22	24	20	122	61.0
부동산 거래 신고 등에 관한 법령	부동산거래신고제	2	4	2	3	4	15	7.5
	외국인 등의 부동산 취득 등에 관한 특례	1	1	2	1	1	6	3.0
	토지거래허가제	2	3	5	3	2	15	7.5
	법령 통합문제	0	0	0	0	0	0	0.0
	소 계	5	8	9	7	7	36	18.0
중개실무	중개실무 총설 및 중개의뢰접수	0	0	4	0	0	4	2.0
	중개대상물의 조사·확인의무	1	1	3	3	3	11	5.5
	중개영업활동	0	0	0	0	0	0	0.0
	거래계약체결 및 개별적 중개실무	3	3	0	4	5	15	7.5
	경매·공매 및 매수 신청대리인 등록	2	1	2	2	2	9	4.5
	법령통합문제	0	0	0	0	3	3	1.5
	소 계	6	5	9	9	13	42	21.0
총 계		40	40	40	40	40	200	100.0

(4) 부동산공법

총평

"이제는 버릴 줄 아는 것이 실력이다."

그런데 버릴 때 주의할 사항은 법률 전체를 버려서는 아니 되고 해당 법률 중에서 어려운 논점만 버려야 한다는 것이다. 각 법률마다 아주 쉬운 논점의 문제가 50%는 꼭 있었다.
"체계와 원리 중심의 학습"과 "아는 것은 꼭 맞힌다."는 "선택과 집중"이 필요하다.

이번 제35회 부동산공법 시험은 일부 법률에서 지엽적인 문제들이 출제되어 매우 접근이 어려웠다.
서술형 문제가 20문제, 단답형 문제가 12문제, 박스형 문제가 8문제(괄호 넣기 문제가 3문제)로 출제되었다.
각 법률별로 국토의 계획 및 이용에 관한 법률(긍정형 7문제, 부정형 4문제, 박스형 1문제), 도시개발법(긍정형 3문제, 부정형 3문제, 박스형 1문제, 박스형 문제 중 1문제는 계산문제), 도시 및 주거환경정비법(긍정형 2문제, 부정형 2문제, 박스형 2문제), 주택법(긍정형 1문제, 부정형 4문제, 박스형 2문제), 건축법(긍정형 3문제, 부정형 3문제, 박스형 1문제, 박스형 문제 중 1문제는 계산문제), 농지법(긍정형 0문제, 부정형 1문제, 박스형 1문제)으로 구성되어 출제되었다.

전체적으로 보면 전혀 풀 수 없는 극상 문제가 14문제, 상 4문제, 중 10문제, 하 12문제, 긍정형 21문제와 부정형 19문제의 비율로 출제되었다. 또한 각 법률마다 아주 쉬운 문제를 2~3문제씩 꼭 출제하였다.

출제경향의 변화는 전혀 손을 댈 수 없는 상 난이도의 문제가 14
문제가 출제되어 전체적인 난이도는 많이 상승했으며, 어려운 14
문제를 패스하고 수업시간에 강조한 중요 논점인 26문제 중 중·
하급 문제인 22문제에 집중했다면은 22~26개 정도의 합격점수가
가능하도록 출제된 문제였다.
법률별 출제경향을 보면 국토의 계획 및 이용에 관한 법률, 도시
및 주거환경정비법, 주택법은 많이 어려웠고, 건축법, 도시개발법,
농지법만 논점위주로 출제되었다.

출제 문항 분석

구 분	제31회	제32회	제33회	제34회	제35회	총 계	비율(%)
국토의 계획 및 이용에 관한 법률	12	12	12	12	12	60	30.0
도시개발법	6	6	6	6	6	30	15.0
도시 및 주거환경정비법	6	6	6	6	6	30	15.0
건축법	7	7	7	7	7	35	17.5
주택법	7	7	7	7	7	35	17.5
농지법	2	2	2	2	2	10	5.0
총 계	40	40	40	40	40	200	100.0

(5) 부동산공시법령

총평

이번 제35회 시험에서 '공간정보의 구축 및 관리에 관한 법률'은 비
교적 쉽게 출제되었고, '부동산등기법'은 어렵게 출제되었다.
먼저 공간정보의 구축 및 관리 등에 관한 법률의 경우, 항상 반복
출제되던 학습테마인 토지의 등록, 지적공부, 토지의 이동에서 대
부분의 문제가 평이하게 출제되었다. 다만, 분할지역의 면적결정방
법, 축척변경의 확정공고 사항 등을 물은 문제들은 수험생들이 풀
수 없는 변별력 없는 문제들이었다.

한편, 항상 높은 난이도를 유지해 오던 부동산등기법은 이번에도
지금까지 한 번도 출제되지 않았던 유형의 변별력 없는 문제들이
절반 가까이 출제되었는데, 지역권에 관한 등기사항, 환매특약등
기, 공동저당에 관한 내용, 관공서의 촉탁등기에 관련된 문제들이
여기에 해당한다. 그리고, 나머지 절반 이상은 늘 반복하여 출제되
던 주요 테마를 다룬 문제들로 채워졌다.

출제 문항 분석

구 분		제31회	제32회	제33회	제34회	제35회	총 계	비율(%)
공간정보의 구축 및 관리 등에 관한 법률	지적제도 총칙	0	0	0	0	0	0	0.0
	토지의 등록	1	4	2	3	5	15	12.0
	지적공부	4	4	5	2	3	18	15.2
	토지의 이동 및 지적 정리	5	1	4	4	4	18	15.2
	지적측량	2	3	1	3	0	9	7.6
	소 계	12	12	12	12	12	60	50.0
부동산 등기법	등기제도 총칙	0	0	0	0	0	0	0.0
	등기의 기관과 설비	0	1	1	0	0	2	1.7
	등기절차 총론	4	3	4	4	2	17	14.3
	각종의 등기절차(I)	6	4	3	4	3	20	16.7
	각종의 등기절차(II)	2	4	4	4	7	21	17.3
	소 계	12	12	12	12	12	60	50.0
총 계		24	24	24	24	24	120	100.0

(6) 부동산세법

총평

제35회 공인중개사 시험에서 부동산세법은 난이도를 극상급 3문제, 상급 2문제, 중급 7문제, 하급 4문제로 구분하여 출제하였다. 난이도 극상급 문제는 시험장에서 풀기에는 어려운 문제였으며 중급인 문제와 하급인 문제를 풀기에는 별 어려움이 없는 구성이었다.

최근 출제 경향인 기본개념을 정확하게 이해한 수험생은 합격 점수가 안정적으로 나올 수 있는 문제를 중급과 하급으로 출제하였다. 여기에 합격생 수를 조정하기 위해 틀리라고 낸 난이도 극상급의 문제를 출제하였다. 실제 시험장에서 난이도 극상급과 상급 문제를 통과한 후 난이도 중급과 하급에 해당하는 문제를 푸는 능력이 필요한 시험이었다.

틀린 것을 찾는 문제(4문제), 옳은 것을 찾는 문제(7문제), 박스형 문제(4문제), 계산 문제(1문제)로 다양한 문제 유형으로 출제하였고, 세목별 구체적인 문제(14문제), 종합 문제(2문제)로 출제하였으며, 단순 법조문을 묻는 문제, 사례형 문제, 계산문제를 혼합하여 출제하였다.

최근의 출제경향은 세법에 대한 기본적인 내용을 정확하게 이해하고 있는 지를 확인하는 쪽으로 바뀌고 있다. 물론 문제 지문을 구성할 때 구색을 맞추기 위해 지엽적인 내용을 출제하는 경우도 있지만 세법의 기본 개념을 정확히 이해하였다면 합격 점수를 확보하는 것에는 별 어려움이 없도록 출제하고 있다.

앞으로의 수험전략은 정확한 이해를 바탕으로 주어진 시간 내에 다양한 문제를 풀어 가는 능력을 키우는 것이다. 만점보다는 합격점수를 확보하는 전략이 절대적으로 필요하다.

출제 문항 분석

구 분		제31회	제32회	제33회	제34회	제35회	총 계	비율(%)
조세총론		1	2	2	2	2	9	11.25
지방세	취득세	1.5	2	2	2	3	10.5	13.13
	등록면허세	2.5	1	1	2	0	6.5	8.13
	재산세	3	2.5	2	2	3	12.5	15.63
	지방소득세	0	0	0	0	0	0	0.0
	지역자원시설세	1	0	0	0	0	1	1.25
국 세	종합부동산세	1	2.5	2	2	2	9.5	11.88
	양도소득세	5	6	5	5	5	26	32.5
	종합소득세	1	0	2	1	1	5	6.25
총 계		16	16	16	16	16	80	100.0

3. 제36회 공인중개사 시험 공부 방법

(1) 부동산학개론

▶ **중요한 기출지문의 집중적인 반복 학습**

대부분의 문제들이 기출문제 패턴과 동일한 유형들이 많이 출제되었다. 예측이 가능한 기출 유사 문제에서 실수하지 않으면 기본적인 합격점수는 무조건 확보되므로 기출지문에 대해 확실하게 학습(이해+숙달)해야 한다.

▶ **계산 문제에 대한 접근방식**

① 출제비중이 높은 간단한 계산공식은 무조건 암기한다(양이 많지 않음).

② 매년 숫자만 바꾸면서 출제되는 전형적인 문제는 포기하지 말고 꼭 내 것으로 만든다.

③ 기존 패턴에서 조금이라도 변형된 계산 문제는 나중에 풀도록 한다.

▶ **전 과목을 다 같이 종합적으로 공부해서 부동산 상식을 늘리는 생활습관**

부동산학개론 문제 중 적어도 2문제 정도는 기본서에 없는 부동산 상식을 묻는 경우가 출제된다. 공법적 기본 지식을 묻는 경우가 많고 아니면 민법이나 공시법 또는 세법일 수도 있으므로 모든 과목을 골고루 공부해서 부동산 상식을 많이 배양하도록 한다.

(2) 민법·민사특별법

▶ 조문과 판례

민법은 부동산학개론과는 달리 법과목이기 때문에 기본이 되는 것
은 조문이다. 다만 조문이 추상적이고 포괄적으로 되어 있으므로 이
를 해석하는 데 학설과 판례가 있는 것이고 우리에게 중요한 것은
판례이다. 판례는 또한 개별적인 사례이기 때문에 민법 공부는 조문
을 기본으로 해서 판례와 사례 위주로 하여야 한다.

▶ 기출문제가 기본

우리는 시험 공부를 하는 것이기 때문에 문제를 통해서 내용을 이해
하고 반복할 필요가 있다. 따라서 기출문제를 기본으로 해서 다양
한 문제를 푸는 것이 빠른 시간 내에 시험에 합격하는 가장 최선의
방법이다.

(3) 공인중개사법·중개실무

공인중개사법령 및 중개실무는 과목의 특성상 종합적이고 다양한
내용으로 문제가 출제되기 때문에 전략과목으로 고득점을 하기 위
해서는 반드시 강의에 충실해야 하며, 기본서와 필수서를 가지고
전반적인 내용들에 대한 체계적인 이해와 암기가 병행되도록 반복
적인 학습이 절대적으로 필요하다. 그 이후에 기출문제 분석, 예
상문제들을 풀어봄으로써 철저하고 명확히 내용들을 정리해 나간
다면 반드시 고득점으로 합격의 결실을 얻을 것이다.

공인중개사법·중개실무를 효율적으로 학습하는 방법은 다음과 같다.
첫째, 공인중개사법령 및 중개실무는 법과목이다. 따라서 법조문
(법률, 시행령, 시행규칙)과 판례를 자주 읽어야 한다. 그러면 이
과목의 전체적이면서도 개략적인 내용이 파악되고 그것을 바탕으
로 시험문제 또한 80% 이상이 법조문에서 출제가 된다.

둘째, 기본서를 최우선으로 하여야 하며 법학을 전공한 분이 아니라면 강의를 열심히 들으면서 기본서를 반복해서 읽어야 한다. 처음에는 목차와 의의 정도를 읽고, 내용파악이 잘 되지 않더라도 그냥 지나가며 전체를 한 번 파악하는 것이다. 그리고는 다시 2회독, 3회독을 거듭하면 점점 더 많은 내용이 자연스레 이해가 될 것이다.

셋째, 기본서를 통해 어느 정도 내용파악이 되었으면 이제 그 내용을 1/3 내지 1/4로 줄여 압축한 필수서를 읽을 자격이 된다. 필수서를 3회독 이상 읽으면 기출문제와 예상문제가 술술 풀리게 되고 이로써 문제풀이가 두려운 것이 아니라 재미있어질 것이다.

넷째, 마무리 단계에서는 그간 자주 보았던 기본서나 필수서 그리고 문제집을 반복해서 보되 특히 자주 출제되는 중요영역과 자주 틀리는 부분들을 명확하게 정리해 나가는 것이 고득점을 얻는 방법이 된다.

(4) 부동산공법

최근 출제경향을 분석해 보면, 시험의 방향이 종합적인 사고와 원리를 요구하는 방향으로 전환되고 있으며, 일부 법률에서는 매우 지엽적인 문제가 출제되어 부동산공법을 고득점하는 것은 어려웠지만 합격하는 점수에는 영향을 주는 정도는 아니었다. 그러므로 꼭 암기가 필요하다고 강조되는 부분을 제외하고는 전체적인 체계와 기본적인 원리를 학습하는 것이 중요하다. 앞으로의 시험은 한마디로 선택과 집중이 합격의 당락을 좌우할 것으로 예상된다.

▶ 국토의 계획 및 이용에 관한 법률

「국토의 계획 및 이용에 관한 법률」은 부동산공법 중 토지이용규제를 위한 행정계획의 수립과 행정계획에 적합하게 이용·개발하는 내용으로 구성된 법률로 12문제가 출제된다. 부동산공법 중 가장 중

요한 법률로서 다른 법률을 이해하기 위해서는 선행적으로 학습이
이루어져야 하는 법률이기도 하다. 전체적인 법률의 체계를 잡은
후 개별적인 내용을 정리하면서 학습하는 것이 효율적인 법률이다.
이 법에서 특히 비중을 두고 공부하여야 할 부분은 광역도시계획,
도시·군기본계획, 도시·군관리계획의 수립, 용도지역지정 특례,
용도지역에서의 행위제한, 용도지구의 의의, 용도구역의 지정권자,
도시·군계획시설사업의 시행, 장기미집행 도시·군계획시설부지의
매수청구제도, 지구단위계획구역 지정과 지구단위계획, 개발행위
허가, 개발밀도관리구역, 기반시설부담구역에 관한 부분이다.

▶ 도시개발법

이 법은 6문제가 출제되며, 도시개발사업의 시행절차에 관한 절차
법이기 때문에 전체적인 체계를 정리하고 세부적인 사항으로 정리
하는 학습방법이 필요한 법률이다.
단순암기식보다는 이해와 응용을 필요로 하기 때문에 다소 어렵게
느낄 수도 있을 것이다. 이 법에서 특히 비중을 두고 공부하여야
할 부분은 개발계획 수립, 도시개발구역의 지정과 도시개발사업의
시행, 도시개발조합, 실시계획, 수용·사용방식, 환지계획, 환지예
정지, 환지처분, 체비지, 청산금 등에 관한 부분이다.

▶ 도시 및 주거환경정비법

이 법은 주거환경개선사업, 재개발사업, 재건축사업이라는 3가지
분야를 하나의 법에서 다루고 있으며, 6문제가 출제된다.
최근에 다소 난이도가 높게 출제되는 경향으로 심화학습이 필요
하다. 정비사업의 개념과 전체적인 정비사업의 체계를 먼저 정리한
후 정비기본계획, 안전진단, 정비사업조합, 정비사업 시행방법, 사
업시행계획, 사업시행을 위한 조치, 관리처분계획 등에 관한 부분
을 중심으로 정리하는 것이 효율적인 학습방법이다.

▶ 건축법

이 법은 7문제가 출제되며, 국토의 계획 및 이용에 관한 법률과 함께 다른 법률을 이해하기 위한 기초적인 내용이 많이 포함되어 있어 기본적인 개념을 중심으로 학습하고, 암기도 요구되기 때문에 전체적인 체계를 잡아서 반복적인 학습이 이루어진다면 고득점이 가능한 법률이라고 할 수 있다. 이 법에서 특히 비중을 두고 공부해야 할 부분은 용어정의, 건축물, 건축물의 건축, 대수선의 개념, 건축물의 용도분류, 건축허가, 건축물의 대지 및 도로, 면적과 높이제한에 관한 부분이다.

▶ 주택법

이 법은 7문제가 출제되며, 특히 비중을 두고 공부해야 할 부분은 용어정의, 등록사업자, 주택조합, 사업계획승인, 사용검사, 주택상환사채, 분양가 상한제 적용주택, 공급질서 교란금지, 저당권 설정 등의 제한, 투기과열지구, 전매제한 관한 부분이다. 또한 주택법은 다른 법률에 비하여 자주 개정되기 때문에 개정되는 부분에 대해서도 관심을 갖는 학습방향이 필요하다.

▶ 농지법

이 법은 다른 법률에 비하여 출제빈도가 낮은 법률로서 2문제가 출제되며, 심화학습보다는 간단히 개념정리 한다는 생각으로 정리하면 충분히 해결할 수 있다. 이 법에서 특히 비중을 두고 공부해야 되는 부분은 농지의 개념, 농지의 소유제한과 소유상한제도, 농지취득자격증명, 농업진흥지역, 농지의 임대차, 농지의 전용이다.

(5) 부동산공시법령

최근 출제되고 있는 「부동산등기법」 관련 문제들은 조문을 중심으로 한 공부만으로는 출제수준을 따라갈 수 없으므로, 조문을 통해 개념을 확실히 이해한 후 관련 판례 및 예규까지 세밀하고 넓게 정리하여 다양한 출제유형들을 꼼꼼하게 반복연습 해나가야 한다. 따라서 수험생들에게는 고득점을 얻는 것이 결코 쉽지 않은 과목이므로 비교적 출제범위가 넓지 않은 「공간정보의 구축 및 관리 등에 관한 법률」에서 고득점을 하여 「부동산등기법」의 부족함을 만회하는 전략이 가장 효율적인 방법이라 할 수 있다.

▶ 공간정보의 구축 및 관리 등에 관한 법률

공간정보의 구축 및 관리 등에 관한 법률은 법령에 규정된 내용을 중심으로 비교적 평이하게 출제되는 과목이다.

이론적 접근을 통해 풀어야 하는 문제보다는 토지이동의 절차, 장부의 이해 등과 같은 실무에 직접적 도움이 되는 현실적 접근이 필요한 내용들을 중심으로 대부분 출제하고 있다.

따라서 출제포인트를 정확히 숙지한 후 반복 훈련해 나간다면 대부분 고득점을 얻어낼 수 있는 전략과목이 될 수도 있다. 토지의 등록사항(지번·지목·경계·면적), 지적공부의 등록사항, 토지의 이동(신규등록·등록전환·분할·합병·지목변경의 사유·등록사항의 정정 등), 지적공부의 정리, 지적측량 적부심사 절차 등의 내용에 중점을 두어 공부하여야 한다.

▶ 부동산등기법

부동산등기법은 조문에 그치지 않고 판례와 예규까지 비중있게 묻는 난이도 높은 문제가 상당수 출제되고 있으므로 철저한 이해 위주의 접근방식 뿐만 아니라 폭넓은 공부도 반드시 요구되는 쉽지 않은 과목이다.

부동산등기법은 조문을 중심으로 한 공부만으로는 출제수준을 따라갈 수 없으므로, 조문을 통해 개념을 확실히 이해한 후 관련 판례 및 예규까지 세밀하고 넓게 정리하여 다양한 출제유형들을 꼼꼼하게 반복연습해 나가야 하는 과목이다.

다만, 부동산등기법과 한 과목을 구성하고 있는 부동산세법과 공간정보의 구축 및 관리 등에 관한 법률이 비교적 고득점이 어렵지 않은 법률들이어서 부동산등기법의 어려움을 충분히 만회해 주고 있는 점을 감안한다면 부동산등기법을 항상 부담스럽고 벅차게만 생각할 필요도 없다고 할 수 있다.

(6) 부동산세법

앞으로의 시험에 대비하기 위해서는 각 조세의 정확한 내용과 상호 유사점 및 차이점을 확실히 알아두어야 하고, 세법의 완벽한 조문 정리가 요구되며, 개정 법령도 분명히 알고 있어야 할 것이다.

▶ 조세총론

조세총론은 국세와 지방세를 총괄하는 것으로 매년 2문제 정도 출제되고 있다. 조세에 관한 기본적이고 공통적인 내용으로 최근 시험에서는 납세의무 성립·확정·소멸, 조세와 다른 채권의 관계, 거래단계별 조세 등의 전반적인 내용을 골고루 출제하고 있다. 이 부분을 정확하게 이해하고 정리하기 위해서는 개별적인 세목을 먼저 공부한 후 연결하여 학습하는 것이 좋다.

▶ 취득세

취득세는 기초 개념을 확실하게 파악해야 상호 연결이 쉽게 이루어진다. 자주 출제되는 부분은 납세의무자, 과세표준, 세율 신고·납부 부분으로서 전체적인 흐름 파악을 종합적으로 묻고 있다.

추가로 과점주주, 토지의 지목변경 등 취득의제 부분을 기본적으로 파악해 두어야 한다.

▶ 등록면허세

등록면허세는 등록에 대한 등록면허세와 면허에 대한 등록면허세로 구분한다. 공인중개사 시험에서는 등록에 대한 등록면허세가 출제되고 있으며 매년 1문제 정도 출제된다. 그러므로 전체적인 흐름을 파악하고 각 부분의 키포인트 위주로 정리하는 것이 바람직하다.

▶ 재산세

재산세는 부동산 보유단계에서 과세하는 지방세로, 매년 3문제 정도 출제되고 있다. 자주 출제되는 부분은 토지의 과세대상 구분, 과세표준, 세율, 납세의무자, 부과·징수이므로 이 부분을 중점적으로 학습하는 것이 좋다. 재산세를 철저하게 공부해야만 종합부동산세도 자연스럽게 정리할 수 있다.

▶ 종합부동산세

종합부동산세를 이해하기 위해서는 재산세 학습이 밑받침되어야 한다. 특히 종합부동산세의 과세대상, 납세의무자, 신고·납부 등을 재산세와 연결하여 학습하는 것이 중요하다.

▶ 양도소득세 및 종합소득세

양도소득세는 매년 5~6문제가 출제되는 중요 부분이다. 양도소득세를 효율적으로 학습하려면 양도소득세의 전체 흐름도를 바탕으로 세부적인 내용을 연결하며 학습해야 한다. 구체적으로 중요한 부분은 양도의 정의, 과세대상, 양도·취득시기, 양도소득세 계산구조, 신고·납부, 비과세이다. 최근에는 계산문제가 1문제씩 출제되고 있으므로 양도소득세를 완벽하게 정리해야 한다.

합격수기

자신에게 맞는 공부방법을 찾아라
나와의 싸움. 할 수 있다! 하면 된다! 해보자!
포기하지 않는 것이 합격입니다

자신에게 맞는 공부방법을 찾아라

공인중개사 합격자 이한아 씨

안녕하세요? 박문각 공인중개사 학원을 통해 합격한 이한아입니다. 미래에 대한 많은 고민을 하던 시점에 저는 앞으로 유망한 직종이 공인중개사가 아닐까 하는 생각에 무작정 학원을 등록했습니다. 나이가 많은 수험생들도 다 합격한다는 시험이란 주변 사람들 말에 저 또한 처음에는 공인중개사 시험을 쉽게 생각했습니다. 하지만 공부를 하면 할수록 방대한 양에 놀랄 수밖에 없었습니다. 1차 과목의 꽃인 민법은 정말 양도 양이지만 이게 일반인들도 공부를 해서 합격을 할 수 있는 것일까라는 의구심이 들 정도였습니다. 처음에는 누구나 그렇듯 단순히 책을 읽고 이해해 보려고 노력했습니다. 하지만 우리는 도전하는 공부는 학문의 원리를 이해하기 위한 것만이 아닌 문제를 풀어내고 일정 점수를 받아야 합격을 하는 시험을 준비하는 것이란 것을 알게 되었습니다. 자신에게 맞는 "시험에 합격하기 위한 공부방법"을 빨리 선택하고 집중하는 것이 저의 합격의 노하우라고 말씀드리고 싶습니다.

제가 합격하기 위해서 했던 공부 방법을 소개를 하자면 다음과 같습니다.

첫 번째는 암기입니다.
사람마다 각자에게 맞는 공부방법이 있는데 저에게 맞았던 방법은 암기였습니다. 저에게 이해만 가지고는 절대로 풀 수 없는 문제가 있었고, 그것을 풀기 위해서 교수님이 암기를 하라는 것은 반드시 암기를 하였습니다. 암기를 하지 않으면 같은 문제를 계속 틀리게 되고 어떤 때는 맞추고 어떤 때는 틀려서 자기가 알고 있지만 틀리는 거라고 착각을 하게 됩니다.

두 번째는 선택적 공부입니다.

1차 부동산학개론은 그냥 어느 정도 일반 상식으로 풀 수 있는 문제들도 있습니다. 민법처럼 전반적으로 다 어렵기 보다는 단순한 암기가 상당한 양을 차지하고 있습니다. 부동산학개론에는 계산 문제가 있습니다. 저는 계산 문제를 전혀 풀지도 못했고 시험장에서도 계산 문제를 포기하고 민법문제를 끝까지 풀었습니다. 저처럼 계산 문제를 못하는 소수의 분들이 계실 것입니다. 당시에는 그 스트레스가 극에 달해서 시간을 낭비하다 방법을 바꿨습니다. 계산 문제는 평균 7~8문제 나오고 그러면 저는 남들 계산 문제를 공부하는 시간에 부동산학개론에 흔히 주는 문제라고 하는 쉽지만 사람들이 자주 실수하는 단순한 암기부분을 계속 반복했습니다. 꼭 이렇게 하는 것이 정답은 아니고 계산 문제를 쉽게 풀 수 있는 분들은 푸는 게 맞습니다. 하지만 계산이 안 된다면 굳이 시간을 투자해서 스트레스 받으실 필요 없이 잘되는 부분을 공부하시고 계산 문제는 과감하게 번호 하나로 체킹하고 넘어가시는 방법도 괜찮다고 생각합니다.

세 번째는 반복입니다.

학원에서 같은 책을 가지고 계속적으로 반복하는 커리큘럼은 다 이유가 있는 것입니다. 냉정하게 말해서 기본서를 한두 번 반복해서는 합격하기가 힘듭니다. 최소한 3~4번 같은 과정을 반복하게 되고 익숙해지셔야만 합니다. 하지만 기본서는 그 양이 방대하고 모르는 부분은 혼자서 해결하기란 정말 쉽지 않습니다. 주변 분들과 상의 해도 그분들도 잘 모르거나 틀린 답을 이야기 하는 것을 꽤 보았습니다. 그럴 때는 교수님을 통해서 모르는 것을 해결하는 게 가장 정확하고 빠릅니다. 또 나이가 드시거나 책을 손에서 놓은 지 오래된 분들은 특히나 책이 눈에 잘 들어오지 않아서 책을 읽기가 힘드실 겁니다. 그럴 때 이용하는 것이 학원에서 제공해주는 동영상강의입니다. 강의를 듣고 또 같은 동영상을 보는 게 처음에는 쉽지 않습니다. 하지만 차차 내용을 이해하게 되고 시간이 지나면 동영상강의 보는 재생속도를 배수로 올려서 하루에 볼 수 있는 양을 늘려갔습니다.

네 번째는 성실입니다.

저는 아무리 피곤하고 지쳐도 무조건 학원에는 나왔습니다. 공부를 하다보면 누구나 슬럼프가 올 수 있습니다. 그렇다고 하여 절대로 수업을 게을리 하거나 특히나 동영상으로만 공부하시는 분들도 계시지만 저처럼 학원에 나오시는 분들은 친목을 쌓는다는 이유로 술을 마시는 분들이 계십니다. 시험 점수가 나오지 않는다고 술을 드시고 수업을 빠지거나 슬럼프를 이유로 며칠 쉬게 되면 다시 공부하는 게 쉽지 않습니다. 과목 자체가 하루에 한 과목씩 진도가 상당하기 때문에 쉬어 버린다면 다음 진도를 따라가는 것이 더욱더 힘들어질 수 있습니다.

다섯 번째는 모의고사 풀기입니다.

학원에서 제공하는 모의고사는 꼭 보았습니다. 점수가 나오지 않을까봐 두려워서 저도 처음엔 시험보기를 꺼려했던 게 사실입니다. 누군가는 시험을 잘보고 누군가는 점수가 안 나올 것입니다. 하지만 그건 말 그대로 모의고사기 때문에 실제 시험이 아닙니다. 시험을 통해서 내가 모르는 부분이 있을 때 시간상 빨리 다음문제로 과감히 넘어가고 마지막 번호까지 갔다가 모르는 부분으로 돌아와서 다시 풀어내는 과정을 통해 이 과목은 얼마만큼의 시간을 내가 할애할 수 있는지 다음 과목과는 얼마만큼의 시간 안배를 할 수 있는지를 연습하셔야 합니다. 시간이 없거나 바쁘셔도 꼭 모의고사를 통해 시간 안배하는 연습을 충분히 하시고 시험장에 들어가셔야 합니다.

여섯 번째는 나만의 오답노트 만들기입니다.
2차를 공부하시다보면 어마어마한 암기량에 놀라실 겁니다. 교수님들 마다 암기코드가 있는 교수님들도 있고 그냥 암기하는 교수님들도 계십니다. 암기코드가 있는 과목은 잘 활용하셔서 꼭 암기하는 게 좋습니다. 간혹 고집을 부리며 암기를 하지 않는 분들이 더러 있습니다. 하지만 2차를 공부하다보면 과목마다 겹치는 부분들이 분명히 있습니다. 예를 들어 주택임대차법이라던지 지상권이라던지 이런 부분은 민법이나 공인중개사법에서도 나옵니다. 그렇다면 반드시 완벽하게 암기하셔서 꼭 맞추셔야 합니다. 문제풀이 과정이 시작이 되면 문제를 풀고 틀린 부분은 보통 다시 점검하면서 오답노트를 만들게 됩니다. 저 같은 경우는 따로 적거나 하는 시간이 아까워서 틀린 문제에 해설을 달아서 틀린 부분을 집중적으로 봤습니다. 그렇게 반복하다 보면 문제 유형이라는 것은 대부분 비슷하기 때문에 눈에 문제도 익을뿐더러 계속 반복하면 내가 쓴 필체이기 때문에 점점 빠른 시간에 전 과목 문제들을 볼 수 있고 효율적으로 공부할 수 있습니다. 공부하실 때는 적어도 빨간펜과 형광색펜 필기류는 준비를 하셔서 중요한 부분은 빨간펜으로 줄을 치고 형광펜으로 키워드 단어를 표시해서 보다보면 나중에는 익숙해져서 책을 단시간엔 많이 볼 수 있습니다.

마지막으로 이 글을 보시고 시험을 준비하시는 분들께 드리고 싶은 말은 절대로 양을 늘리는 공부를 해서는 안 된다는 겁니다. 교수님을 선택했으면 믿고, 주시는 자료로 공부하면 됩니다. 학원 다니다 보면 사람들이 어디선가 타 학원의 자료라던지 시험지를 가지고 와서 권유하거나 토의하기도 합니다. 하지만 이건 매우 위험한 공부 방법입니다. 공인중개사 시험자체가 방대한 양을 공부를 해야 하는데 다른 학원의 자료가 궁금하다 하여 그것을 보는 순간 시간이 낭비된다는 것을 잊어서는 안 됩니다. 교수님마다 강조하는 부분들이 다를 수 있지만 어떤 게 맞고 어떤 게 틀린 것은 아닙니다. 교수님마다 꼭 필요한 부분은 학습을 합니다. 그러므로 박문각 학원의 과정, 교수님들의 말씀과 학원 상담실의 이야기를 믿고 꼭 시키는 대로만 하면 정말 합격에 한 걸음 더 다가갈 수 있을 거라 자부합니다. 모든 분들 이글을 읽고 기를 받아서 꼭 합격하셨으면 좋겠습니다. 모두 힘내시고 힘들어도 포기하지 마시고 열심히 하셔서 원하는 대로 이루셨음 하는 바램입니다. 여러분의 합격을 기원합니다.

❝

천재란
노력을 계속할 수 있는 재능을 가진 사람이다.
- 토머스 에디슨 -

❞

나와의 싸움. 할 수 있다! 하면 된다! 해보자!

공인중개사 합격자 전정윤 씨

안녕하세요? 박문각공인중개사를 통해서 합격한 전정윤입니다. 연초에 공인중개사 자격증을 취득하려고 마음을 먹고 동영상 강의를 구매했습니다. 회사와 학업을 병행하다 보니 자연스럽게 밀린 강의가 많아지고 결국 4월말 회사를 그만두고 학원에서 본격적으로 공부하기로 마음먹었습니다.

5월부터 학원에 다니며 최고 교수님들의 강의를 들었습니다. 동기분들은 이미 11월, 1월, 3월 최소 2회독 이상 공부하신 분들이었고, 진도를 따라가기 버거웠습니다. 그래서 교수님을 일일이 찾아뵙고 상담을 받았습니다. 과목마다 특징이 다르고, 각자 교육수준이 다르기 때문에 제게 질문을 몇 가지 던지시더니 가장 적합한 해결책을 제시해주셨습니다. 박문각 교수님이 하라는 대로만 공부했습니다. 그리고 개인적으로는 제게 주어진 시간이 6개월 밖에 되지 않기에 강의시간을 포함하여 목표학습시간은 최소 9시간 이상 유지하기로 계획하고 실천하였습니다. 대학졸업하고 오랜만에 공부하는 지라 9시간 동안 앉아서 공부를 하는 게 처음에는 참 힘들었습니다. 그래서 저는 Monthly planner에 매일 공부시간을 확인하여 기록했습니다. 9시간을 넘기면 옆에 "참 잘했어요"라고 스스로 칭찬했습니다. 공부시작 전에 그날 공부할 내용을 미리 기록하고 잘 지켰으면 옆에 체크를 하고 밀린 공부는 일요일에 하였습니다.

5~6월에는 오전에 정규강의 수강, 오후는 동영상으로 기본강의를 수강하여 2회독을 하고, 7~8월에는 오전에 정규강의를 수강, 오후는 동영상으로 기출강의를 시청하여 4회독을 하였습니다. 9~10월에는 오전에 단원별모의고사를 보고, 오후는 틀린 문제를 확인하

며 오답노트를 만들었습니다. 그리고 시험을 100일 앞둔 시점부터
는 일일 목표학습시간을 15시간으로 하고 6시반부터 학원 자습실
에서 공부하였습니다. 연세 많으신 어르신들이 아침 일찍부터 저녁
늦게까지 공부하시는 모습을 보며 동기부여가 되었기 때문입니다.
저는 숫자를 좋아하는 편이라 학개론 계산 문제나 세법은 흥미가
있었지만, 민법, 부동산공법, 부동산공시법령은 아주 어렵게 느껴
졌습니다. 단기간에 공부하기에 범위가 많고 이해가 잘되지 않아 외
우기 힘든 과목이었습니다. 그래서 학개론, 중개사법, 세법을 전략
과목을 만들고 실수하지 않도록 노력했고, 점수가 안 나오는 민법,
부동산공시법령, 부동산공법은 암기노트를 항상 들고 다니면서 수
시로 눈에 익혔습니다.

요즘 20대도 시험에 많이 응시하던데 부동산계약을 해보신 어르신
분들과는 달리 계약서를 본 적도 없는 20대에게 가장 어려운 과목
은 부동산공시법령일 것입니다. 제가 경험한 점수가 안 나오는 과목
을 정복하는 효과적인 방법 세 가지를 알려드리겠습니다.

첫 번째 각 과목별 시험출제유형을 파악합니다. 상대평가가 아닌
절대평가이고 전략을 세우는 것이 무엇보다 중요합니다. 빈출파트
는 별표시 해두고 반드시 익숙하게 공부해야 합니다. 반대로 3~4
년에 한 번씩 출제되는 파트가 잘 이해가 되지 않을 때에는 과감히
포기하는 것도 필요합니다. 그 시간에 다른 빈출파트를 공부할 수
있기 때문입니다.

두 번째 목차와 친해져야 합니다. 2회독을 하면 소제목은 눈에 익
숙해질 것입니다. 목차의 순서와 소제목을 자주 보고 그날 하루의
공부를 마무리 할 때 제목만 보고 내용을 말해보는 연습을 하면 도
움이 될 것입니다.

세 번째 자주 봐야 합니다. 우선 시험이 끝날 때까지 10회독 이상 할 수 있는 얇은 책 한 권을 선정합니다. 교수님께서 주신 요약정리 프린트도 좋고, 특강자료도 좋습니다. 책이 두꺼운지 얇은지는 중요하지 않습니다. 중요한 건 자주 볼 수 있는 쉬운 책이어야 합니다. 동일한 책을 여러 번 보는 것이 중요한 이유는 자주 보다 보면 눈에 익어서 시험 볼 때 어느 파트에 나온 것인지 기억이 나기 때문입니다.

저는 시험 전 마지막 8차 모의고사에서도 민법점수 때문에 1차가 평균 60점을 넘지 못하였습니다. 절망스러웠지만 남은 3주 동안 하면 할 수 있다는 마음을 가지고 포기하지 않았습니다. 결국 시험 당일 여태껏 본 모의고사 점수 중 최고점수로 동차 합격하게 되었습니다. 공부를 하다 보면 옆에 친구들과 모의고사 점수도 비교되고, 내가 할 수 있을까 걱정도 되고, 자신감까지 떨어질 수 있습니다. 하지만 공인중개사 시험은 절대평가이기 때문에 나와의 싸움입니다. 남들은 중요하지 않습니다. 오직 '어제의 나'와 '오늘의 나'의 모습만 비교하고 반성하고 앞으로 나아가기 바랍니다. "할 수 있다! 하면 된다! 해보자!"라는 말처럼.

박문각과 함께 준비하면 연세가 많은 분도, 준비기간이 짧은 분도 걱정 없습니다. 저는 지금 29세의 나이로 개봉동에 공인중개사사무소를 개업하여 운영하고 있습니다. 회사생활을 하는 것 보다 삶의 만족도도 훨씬 높습니다. 여러분도 자신 있게 도전하고 제2의 인생을 준비하시기 바랍니다. 감사합니다.

"

인간은 위대한 업적에 의해 변하는 것이 아니라
자신의 의지로 변한다.
- 헨리크 입센 -

"

포기하지 않는 것이 합격입니다.

공인중개사합격자 하정철 씨

안녕하세요? 저는 살면서 공부라는 것을 단 한 번도 해본 적이 없던 사람이고 처음으로 공인중개사라는 자격증을 접하게 되면서 공부를 한 케이스입니다. 대부분의 사람들이 저와 같은 고민을 하실 거라고 믿고 합격수기를 써보도록 하겠습니다.

우선 합격하기 위해서는 저만의 공식을 알려드리겠습니다.

1. 무조건 교수님이 시키는 대로 하기
2. 오프라인강의를 꼭 참석하기
3. 2차를 포기하는 일이 있어도 공인중개사법은 버리지 말기
4. 매달 보는 전국모의고사 반드시보기(저는 틀리는 파트만 체크할 뿐 따로 점수를 체크하지 않았습니다) ⇨ 실전감각을 익히는 데 굉장히 도움이 됩니다.
5. 장기 수강생들 말에 현혹되지 말기(잘못하면 장기수강생 공부를 하게 되십니다.)
6. 규칙적인 운동하기

이런 것들 말고 수십 가지가 되겠지만 기본이면서 참 지키기 어려운 것들뿐입니다.

그리고 저처럼 평소에 책을 등지고 사시는 분들은 참고하시면 좋은 공부방법이 있습니다. 바로 동영상강의입니다. 공부를 시작하고 나서 제가 책을 많이 안 읽어서 그런지 다른 분들보다 이해력과 암기력, 순발력 모두가 떨어진다는 것을 느꼈고 그걸 극복한 방법은 바로 동영상 강의를 반복해서 듣는 것입니다.

기초강의 위주로 한 강의당 3번 이상씩 들었고 샤프로 필기를 했습니다. 그 정도 듣게 되면 귀가 열리고 내가 외워야 하는 것과 아닌 것이 구분이 됩니다. 그때 파란색, 빨간색 볼펜으로 중요도를 체크하면서 필기를 하면서 나만의 합격책이 만들어집니다(이렇게 되면 하루에 한 과목씩 빠르신 분들은 2~3시간이면 한 과목을 볼 수 있습니다). 그리고 시험보기 한 달 전에 형광펜으로 마지막 정리를 했습니다.

물론 개인마다 차이점은 분명히 존재합니다. 이론적인 부분은 인터넷강의를 3회 이상 또는 필요하신만큼 무한반복하시고 실전 경험을 위해서 문제를 많이 풀어 보는 것이 좋습니다. 대부분 내가 점수가 적게 나올까 두려워 문제를 기피하시는 경향이 있으신데 그걸 먼저 극복하고 문제풀기와 친해져야 합니다. 보통 마지막에 교수님들이 80~120문제 가량 예상문제 특강을 하시는데 내가 선택한 교수님을 절대적으로 믿고 무한반복해서 같은 문제를 풀으신다면 분명히 좋은 성과를 가지실 수 있습니다. 물론 저도 그랬고요.
학원생활하면서 가장 많이 하는 걱정 중 하나는 '내가 이 시기에 이 점수가 나오는 게 맞는 것인지?' 하는 건데 공인중개사 시험은 점수가 어느 한 순간에 잘나오는 시점이 있습니다. 입문강의부터 들었던 저는 7월까지 40점대 바닥을 기어 다니다가 9월쯤 70~80점대까지 끌어올린 케이스입니다.

모르는 이론부분은 인터넷강의로 쭉 반복해서 들으시고, 9~10월까지도 모르는 파트는 과감히 버립니다. 저는 모르는 파트 수준이 아닌 특정과목을 버렸습니다. 하지만 수업은 전부다 들었습니다. 그리고 단 한 번도 빠지지 않고 전국모의고사를 모두 봤으며, 잘 보던 못 보던 채점을 통해서 어느 파트가 자주 틀리는지 체크하는 것은 꼭 빠지지 않고 하였습니다.

제 필기방법과 같이 양을 줄여나가는 게 마지막까지 공부할 수 있는 원동력이 됩니다. 교수님들이 주시는 자료도 똑같이 줄여나갑니다.

7~8월쯤 되면 날씨도 덥고 점수도 안 나와서 대부분의 수강생들이 2차를 포기하려는 경향이 심해집니다. 점수가 평균정도만 따라가신다면 절대 포기하지 마세요. 정말 후회하십니다. 대부분 착각하는 게 내가 11월부터 8월까지 들었는데 점수가 이것밖에 안 나오나 싶은데 진짜 공부는 9월부터 무한반복으로 문제를 풀면서 점수가 오르는 시기입니다. 즉 1년의 결실을 거두는 시기는 9월, 10월이라고 생각합니다.

그리고 강의를 통해서 많은 교수님들이 정말 가슴에 와 닿고 마지막 순간까지 힘이 되는 말씀들이 많이 해주셨는데 아직도 머리 속에 각인되어 있습니다. 제가 공부하면서 많이 의지하고 참고했던 말씀을 적고 마무리하도록 하겠습니다.
대부분 사람들이 초록색 신호일 때 건널 수 있다는 건 누구나 아는 사실입니다. 하지만 그 초록불 신호가 위에 있는지 아래 있는지는 살면서 수백 번, 수천 번을 봐왔어도 정확히 대답할 순 없습니다. 공부도 똑같습니다. 내가 '아는 것 같은 것'과 '아는 것'은 100% 다릅니다.

박문각 공인중개사를 통해 공인중개사 자격증을 취득하러 오셨다면 그 선택은 정말 잘하신 것이란 걸 의심하지 마세요. 자신의 선택을 믿으시고 끝까지 완주만 하시면 합격할 수 있다는 마음으로 끝까지 포기하지 마세요. 끝까지 포기하지 않는다면 합격생이 되실 것입니다.

시험 대비 방법

1. 시험 직전 체크 Point!
2. 시험 당일은 어떻게?
3. 스트레스 관리, 어떻게 하나요?

1. 시험 직전 체크 Point!

고사장 위치, 확인하셨나요?

시험 전날 미리 고사장 위치와 가는 방법(대중교통 이용 방법)과 이동시간 등을 알아보는 것이 좋습니다. 미리 준비해 두어야 다음 날 헤매지 않고 제시간에 찾아갈 수 있기 때문입니다. 또한, 고사 장명을 다시한번 정확하게 확인하여 당일 유사명칭의 고사장으로 잘못 찾아가는 등의 예상치 못한 실수를 하지 않도록 준비합니다.

신분증, 응시표, 컴퓨터용 사인펜 등 준비물을 미리 가방에 넣어 두세요

의외로 신분증, 응시표 등 준비물을 깜빡 잊고 시험 당일 허둥대는 수험생이 있습니다. 이런 실수를 하지 않기 위해서는 미리 준비물 을 꼼꼼히 체크하여 가방에 잘 넣어두는 것이 좋겠습니다.

시험 1일 전에는 전 과목을 빠르게 통독

내가 모르는 것, 기출이 자주 되는 부분 등 전 과목을 빠르게 통독 해야 합니다. 이렇게 하기 위해서는 빨리 읽어나가면서 강약을 주는 속독이 필요합니다. 지엽적이거나 세세한 부분, 기출이 잘 되지 않 는 부분에 매달리지 말고 잘 모르는 것, 마지막까지 암기해야 할 사 항을 빠르게 암기하고, 출제되는 파트 위주로 빠르게 읽어나갑니다.

시험 전날은 평소보다 일찍 잠자리에 드세요

시험 전날에는 공부할 것도 많고, 시험에 대한 부담감 때문에 쉽사리 잠이 오지 않는 것이 현실입니다. 밤새워 공부한다는 수험생도 본 적이 있습니다. 그러나 멍한 머리 상태로는 당일에 최상의 컨디션을 유지할 수 없습니다. 평소보다 약 1시간 정도 일찍 취침 준비를 하는 것이 당일 최상의 컨디션을 발휘하기 위해 중요합니다. 잠이 오지 않는다고 해서 수면제 등을 복용하지 마시고 따뜻한 우유, 허브차 등을 마시면서 잠을 잘 준비를 해야 합니다. 불을 끄고 편안한 마음으로 누워서 최대한 깊게 숨을 쉬세요. 스마트폰, 컴퓨터 등 숙면에 방해가 되는 물건은 멀찍이 떨어트려 놓는 것이 숙면에 좋은 방법이 될 것입니다.

2. 시험 당일은 어떻게?

아침 식사는 가볍게, 꼭

사람의 몸은 오전에 가장 많은 에너지를 필요로 합니다. 더구나 수험생들은 오전 중에 가장 뇌가 활성화되어서 문제를 풀어야 하므로 아침 식사는 중요한 에너지 공급원이 됩니다. 따라서 아침을 거르지 마시고 가급적 소화가 잘되는 음식 위주로 식사를 가볍게 하는 것이 좋습니다. 아침을 먹는 습관이 되어 있지 않은 수험생들은 반공기라도 생선, 두부, 나물 등과 함께 천천히 꼭꼭 씹어서 먹도록 하세요. 충분한 영양소를 섭취하는 것도 문제를 잘 풀기 위한 준비입니다!

1시간 정도 일찍 고사장에 도착하세요

시험 당일에는 1시간 정도 일찍 고사장에 입실하는 것이 좋습니다. 일찍 도착해서 자리에 앉은 후 차분한 마음으로 가져온 자료를 속독하면서 고사장 분위기에 적응하는 시간을 갖는 것이 좋기 때문입니다. 우리 뇌는 잠에서 깬 후 2시간이 되어서야 완전히 활성화가 되기 때문에 맑은 정신으로 고사장에 도착한 후 충분하게 웜업을 하는 것이 중요합니다.

답안지를 받으면 기본 사항을 꼭 표기

답안지를 받고 나서 수험번호와 성명 등 기본 사항을 먼저 체크합니다. 잘 표기하였는지 한 번 정도 더 확인하세요.

문제지를 받고 나서는 시간 분배에 신경 쓰면서 문제를 해결

시험 시간을 제대로 맞추지 못하면 이제까지의 노력이 물거품이 됩니다. 시간 안배를 적절히 해가면서 문제를 풀어야 합니다. 성급한 마음으로 문제를 제대로 읽지 않는 것은 금물입니다. 모르거나 시간이 많이 들 것 같은 문제는 따로 별표시 등을 해 두었다가 나중에 해결하는 것도 방법입니다.

시험 종료 10분 전에는 마킹을 시작해야 합니다

'시험 직전에 마킹해야지' 하는 생각으로 답안지 마킹을 미루면 안 됩니다. 밀려 쓰기 등의 실수를 할 수 있기 때문입니다. 시험 종료 10분 전에는 마킹을 시작하세요.

3. 스트레스 관리, 어떻게 하나요?

현대인들에게 스트레스 관리는 참 어려운 숙제입니다. 누구나 스트레스를 받고 그 정도나 강도도 모두 다르지만, 나에게만 이 스트레스가 버겁고 견디기 힘들게 느껴지는 것은 어쩔 수 없는 일인 것 같습니다. 따라서 필자는 공부하면서 받는 스트레스를 어떻게 관리하고 효과적으로 이겨낼지 그 방법을 제안하고자 합니다.

가장 좋아하는 한 가지쯤은 1주일에 1일 정도 시간을 할애하세요

영화 보기, TV 보기, 산책, 음악 감상, 미술작품 구경, 등산, 자전거 타기 등 각자 다양한 취미활동이 있을 것입니다. 열심히 6일 공부했다면 1주일에 1일은 자신이 가장 좋아하는 일에 시간을 할애하도록해 보세요. 열심히 공부한 자신에 대한 보상이기도 하며 내일 더 열심히 공부할 수 있게 만드는 원동력이기도 할 것입니다. 여가 활동은 내일 공부에 지장을 주지 않는 정도로 적절하게 배분하는 것이 좋습니다. 등산을 한다면 4~5시간 가볍게 코스를 짜고 집에 돌아와서는 일찍 잠들도록 합니다. 영화, 음악, 미술, 공연 등 자신의 감정에 긍정적인 기운을 불어넣어주고 마음을 편안하게 하며 행복한 에너지가 넘치는 취미를 갖도록 하세요.

머리가 산만하고 어지러울 때에는 가벼운 산책을 하세요

아무리 책상 앞에 앉아도 집중이 되지 않고 글자를 읽어도 머릿속에 들어오지 않는다면 가벼운 마음으로 산책을 해보세요. 숨을 크게 쉬고 들이마시면서 생각을 단순화하고 몸과 마음에 충분한 휴식을 제공하세요. 다시금 공부에 집중할 수 있도록 해 줄 것입니다.

도무지 아무것도 손에 잡히지 않을 때에는 마음을 가라앉히고 허브차를 마셔보세요

마음이 붕~ 뜬 것만 같은 날이 있습니다. 그런 날에는 차분하게 앉아서 따뜻한 허브차나 유자차, 모과차 등을 마셔보세요. 커피 같이 카페인이 함유된 음료보다는 국화차, 모과차, 유자차 등 머리를 맑게 해주고 호흡기 질환을 예방할 수 있는 건강한 차를 마셔 보세요. 따뜻한 차 한 잔과 함께 10~20분 정도 여유를 가지고 마음을 정돈해보면 다시금 공부에 집중할 수 있는 상태가 될 것입니다.

즐거운 생각, 합격한 후 나의 모습, 가장 행복했던 때를 떠올려 보세요

우울하고, 한없이 절망스럽고, 무기력할 때에는 즐거운 생각을 해보세요. 합격한 후 나의 모습을 상상해보세요. 두뇌는 그런 상상을 현실로 만드는 힘을 가지고 있습니다. 매일 매일 합격한 나의 모습, 그 후의 내 삶의 방향에 대해 떠올리고 각인시키세요. 그러면서 나는 할 수 있다! 나는 합격한다! 늘 주문을 외우듯이 머릿속에 떠올려 보세요.

가벼운 마음으로 1일 여행을 떠나보세요

스트레스가 극에 달했을 때에는 만사가 귀찮고 짜증스럽기 마련입니다. 이럴 때에는 서울 근교나 가까운 도시로 1일 여행을 떠나보세요. 새로운 곳에서 새로운 경험을 하면서 시야를 넓히고 지금 내가 갖고 있는 것들에 감사한 마음을 가져볼 수 있을 것입니다. 또한 돌아와서 일상생활에 더욱 활력을 줄 수 있을 것입니다.

66

자신을 죽일 정도로 엄청난 것이 아닌 이상,
고난은 나를 더욱 강하게 만든다.
– 프리드리히 빌헬름 니체 –

99

부동산학개론이
만만해지는
용어 & 이론

부동산학개론이 만만해지는 용어&이론

• 가능총소득(가능조소득, 잠재총소득)

투자부동산에서 얻을 수 있는 최대한의 임대료 수입을 뜻한다. 임대단위수에 예상임대료를 곱하여 구할 수 있으며, 총임료수입, 잠재총수익, 가능총소득이라고도 한다.

실전 기출문제!

다음 1년간 현금흐름 관련 표에서 계산한 비율이 옳은 것은?(다만, 저당대출은 원리금균등분할상환 조건이며, 잠재(가능)총소득과 유효총소득의 차이는 공실로 인한 것임)　　　제20회

- 부동산가치 1,000,000
- 순영업소득 57,000
- 유효총소득 95,000
- 잠재총소득 100,000
- 대출비율 50%
- 세전현금흐름 17,000

---

① 저당환원율(저당상수) = 8.5%

② 지분환원율(지분배당률) = 4.5%

③ 공실률 = 5.5%

④ 영업경비비율 = 50%

⑤ 자본환원율(종합환원율) = 5.7%

정답 ⑤

• 감가수정

감가수정이란 대상물건에 대한 재조달원가를 감액하여야 할 요인이 있는 경우에 물리적 감가, 기능적 감가 또는 경제적 감가 등을 고려하여 그에 해당하는 금액을 재조달원가에서 공제하여 기준시점에 있어서의 대상물건의 가액을 적정화하는 작업을 말한다(감정평가에 관한 규칙 제2조 제12호). 감가수정방법에는 경제적 내용연수를 기준으로 하는 방법(정액법·정률법·상환기금법)과 관찰감가법, 분해법 등이 있다. 회계학상 감가상각과 유사하지만 그 목적·방법·감가요인에서 차이가 있다.

구 분	감정평가목적의 감가수정	회계목적의 감가상각
목 적	경제적 가치산정 ① 기준시점에서의 현존가격의 적정화 ② 시장가치의 발견	비용배분, 자본회수 ① 기업, 세무회계에 사용 ② 기간적 손실파악, 진실한 재무상태 파악
방 법	① 재조달원가를 기초로 함. ② 경제적 내용연수를 기초로 하되 잔존 내용연수 중점 ③ 관찰감가법이 인정 ④ 현존물건만 대상으로 함. ⑤ 물리적·기능적·경제적 감가요인 모두 취급함. ⑥ 감가에 있어 시장성을 고려함. ⑦ 감가액이 실제 감가와 일치함.	① 취득원가(장부가격)를 기초로 함. ② 법정내용연수(물리적 내용연수)를 기초로 하되 경과연수 중점 ③ 관찰감가법이 인정되지 않음. ④ 자산으로 계상되면 멸실되어도 상각은 계속됨. ⑤ 물리적·기능적 감가요인만 취급하고, 경제적 감가요인은 고려하지 않음. ⑥ 시장성을 고려할 필요가 없음. ⑦ 감가액이 실제의 감가와 불일치

• 개별분석

개별분석은 대상부동산의 개별적 요인을 분석하여 대상부동산의 가격을 판정하는 작업이다.

구 분	지역분석	개별분석
분석 순서	선행분석	후행분석
분석 내용	가격형성의 지역요인을 분석	가격형성의 개별적요인을 분석
분석 범위	대상지역(대상지역에 대한 전체적·광역적·거시적 분석)	대상부동산(대상부동산에 대한 부분적·국지적·구체적·미시적 분석)
분석 방법	전반적 분석	개별적 분석
분석 기준	표준적 이용	최유효이용
가격 관련	가격수준	가격
가격 원칙	적합의 원칙	균형의 원칙

• 거래사례비교법

대상물건과 가치형성요인이 같거나 비슷한 물건의 거래사례와 비교하여 대상물건의 현황에 맞게 사정보정, 시점수정, 가치형성요인 비교 등의 과정을 거쳐 대상물건의 가액을 산정하는 감정평가 방법을 말한다(감정평가에 관한 규칙 제2조 제7호). 또한 이 방법으로 구한 시산가액을 비준가격 혹은 유추가격이라 한다.

실전 기출문제!

거래사례비교법에 관한 설명 중 틀린 것은?　　　　　　　제19회 변형

① 시장성의 원리에 의한 것으로 실증적이며 설득력이 풍부하다.
② 아파트 등 매매가 빈번하게 이루어지는 부동산의 경우에 유용하다.
③ 시점수정은 거래사례자료의 거래시점 가격을 현재시점의 가격으로 정
　상화하는 작업을 말한다.
④ 사례자료는 기준시점이 가까울수록 유용하다.
⑤ 부동산 시장이 불완전하거나 투기적 요인이 있는 경우에는 거래사례의
　신뢰성이 문제가 된다.

정답 ③

다음은 감정평가방법에 관한 설명이다. (　　)에 들어갈 내용으로 옳
은 것은?　　　　　　　　　　　　　　　　　　　　　　　　제26회

• 원가법은 대상물건의 재조달원가에 (㉠)을 하여 대상물건의 가액
　을 산정하는 감정평가방법이다.
• 거래사례비교법을 적용할 때 (㉡), 시점수정, 가치형성요인비교 등
　의 과정을 거친다.
• 수익환원법에서는 장래 산출할 것으로 기대되는 순수익이나 미래의
　현금흐름을 환원하거나 (㉢)하여 가액을 산정한다.

① ㉠ 감가수정	㉡ 사정보정	㉢ 할인
② ㉠ 감가수정	㉡ 지역요인비교	㉢ 할인
③ ㉠ 사정보정	㉡ 감가수정	㉢ 할인
④ ㉠ 사정보정	㉡ 개별요인비교	㉢ 공제
⑤ ㉠ 감가수정	㉡ 사정보정	㉢ 공제

정답 ①
해설 • 원가법은 대상물건의 재조달원가에 (감가수정)을 하여 대상물건의 가액을 산
　　　정하는 감정평가방법이다.
　　　• 거래사례비교법을 적용할 때 (사정보정), 시점수정, 가치형성요인비교 등의 과
　　　정을 거친다.
　　　• 수익환원법에서는 장래 산출할 것으로 기대되는 순수익이나 미래의 현금흐름
　　　을 환원하거나 (할인)하여 가액을 산정한다.

• 거미집이론

미국의 주기적인 돼지와 옥수수의 가격파동분석에서 유래되었다. 수요량은 가격에 대하여 즉각적으로 반응하나 공급량은 생산기간이 필요하기 때문에 시차를 두고 반응한다는 시장균형에 대한 동적 이론으로서, 부동산 시장은 주기적으로 초과수요와 초과공급을 반복하며 가격폭등과 폭락을 반복하는 과정을 통하여 시장균형에 도달한다는 이론이다. 거미집이론은 수요곡선의 기울기와 공급곡선의 기울기에 따라 가격의 변동 모양이 달라지는 것으로, 주거용 부동산보다는 상업용이나 공업용 부동산에 더 잘 적용된다.

실전 기출문제!

다음은 거미집이론에 관한 내용이다. ( )에 들어갈 모형형태는? (단, X축은 수량, Y축은 가격을 나타내며, 다른 조건은 동일함) 제31회

• 수요의 가격탄력성의 절댓값이 공급의 가격탄력성의 절댓값보다 크면 (㉠)이다.
• 수요곡선의 기울기의 절댓값이 공급곡선의 기울기의 절댓값보다 크면 (㉡)이다.

---

① ㉠ 수렴형, ㉡ 수렴형
② ㉠ 수렴형, ㉡ 발산형
③ ㉠ 발산형, ㉡ 수렴형
④ ㉠ 발산형, ㉡ 발산형
⑤ ㉠ 발산형, ㉡ 순환형

정답 ②
해설 ㉠ 수요의 가격탄력성의 절댓값 〉 공급의 가격탄력성의 절댓값 : 수렴형
㉡ 수요곡선의 기울기의 절댓값 〉 공급곡선의 기울기의 절댓값 : 발산형

• 공공재

정부에 의하여 공급되어 모든 사람이 공동으로 이용할 수 있는 재화나 서비스를 공공재라 한다. 도로, 공원, 경찰, 소방 등과 같이 정부에 의해서만 공급할 수 있거나 또는 정부에 의해서 공급하는 것이 바람직하다고 판단되는 재화나 용역이 이에 해당한다.

실전 기출문제!

공공재에 관한 일반적인 설명으로 틀린 것은?   제30회

① 소비의 비경합적 특성이 있다.
② 비내구재이기 때문에 정부만 생산비용을 부담한다.
③ 무임승차 문제와 같은 시장실패가 발생한다.
④ 생산을 시장기구에 맡기면 과소생산되는 경향이 있다.
⑤ 비배제성에 의해 비용을 부담하지 않은 사람도 소비할 수 있다.

정답 ②
해설 ② 공공재는 내구재와 비내구재 모두 존재하며, 공공재의 생산비용은 정부, 기업, 민간 등이 함께 부담하는 것이 원칙이다.

• 공급의 가격탄력성

가격변동률에 대한 공급량의 변화율의 정도를 말한다.

$$\text{공급의 가격탄력성}(\varepsilon_s) = \frac{\text{공급량의 변화율}}{\text{가격의 변화율}}$$

실전 기출문제!

부동산에 관한 수요와 공급의 가격탄력성에 관한 설명으로 틀린 것은? (단, 다른 조건은 동일함) 제30회

① 수요의 가격탄력성이 완전탄력적일 때 수요가 증가할 경우 균형가격은 변하지 않는다.

② 오피스텔에 대한 대체재가 감소함에 따라 오피스텔 수요의 가격탄력성이 작아진다.

③ 공급의 가격탄력성이 수요의 가격탄력성보다 작은 경우 공급자가 수요자보다 세금부담이 더 크다.

④ 임대주택 수요의 가격탄력성이 1인 경우 임대주택의 임대료가 하락하더라도 전체 임대료 수입은 변하지 않는다.

⑤ 일반적으로 임대주택을 건축하여 공급하는 기간이 짧을수록 공급의 가격탄력성은 커진다.

정답 ①

• 공지

건축법에서는 대지에서 건축물의 바닥면적을 제외한 부분을 공지라고 한다. 대지면적에 대한 건축면적의 비율이 높아질수록 공지면적은 좁아진다.

실전 기출지문! ○×

부지(敷地)는 건부지 중 건물을 제외하고 남은 부분의 토지로, 건축법령에 의한 건폐율 등의 제한으로 인해 필지 내에 비어있는 토지를 말한다. (   ) 제30회

정답 (×)

• 관계 마케팅 전략

공급자와 소비자의 상호작용을 중요시하는 전략으로 장기적·지속적인 관계유지를 주축으로 하는 전략이다. 공급자와 수요자의 1회성이 아닌 장기적 관계는 부동산의 브랜드와 관계가 깊다.

실전 기출지문! ○×

관계 마케팅 전략은 AIDA의 원리에 기반을 두면서 소비자의 욕구를 파악하여 마케팅 효과를 극대화하는 전략이다. ( )   제22회

정답 (×)

• 균형의 원칙

부동산 가격 원칙 중의 하나로서, 부동산의 유용성(수익성 또는 쾌적성)이 최고도로 발휘되기 위해서는 그 내부구성요소의 조합이 균형을 이루어야 한다는 원칙을 말한다. 여기에서 내부구성요소란 생산요소의 결합비율, 토지이용상태, 건물내적 조화와 균형 등을 말한다.

① 토지의 경우: 접면너비·획지의 깊이·고저 등의 관계

② 건물의 경우: 건축면적·높이·복도·계단과 엘리베이터 배치 등의 관계

③ 복합부동산의 경우: 개개의 부동산에 대한 구성요소 외에 건물과 부지의 배치·크기 등의 관계

실전 기출지문! ○×

균형의 원칙은 구성요소의 결합에 대한 내용으로, 균형을 이루지 못하는 과잉부분은 원가법을 적용할 때 경제적 감가로 처리한다.( )   제26회

정답 (×)

• 기대수익률

투자로부터 기대되는 예상수입과 예상지출을 토대로 계산되는 수익률이다. 내부수익률이라고도 한다.

실전 기출문제!

상가 경제상황별 예측된 확률이 다음과 같을 때, 상가의 기대수익률이 8%라고 한다. 정상적 경제상황의 경우 (　)에 들어갈 예상수익률은? (단, 주어진 조건에 한함)　　　　　제30회

시장상황		경제상황별 예상수익률(%)	상가의 기대수익률 (%)
상황별	확률(%)		
비관적	20	4	8
정상적	40	(　)	
낙관적	40	10	

① 4　　　　② 6　　　　③ 8　　　　④ 10　　　　⑤ 12

정답 ③

• 내부수익률법

내부수익률이 요구수익률보다 높을 경우 투자안을 채택하고 낮을 경우 기각하는 투자의사결정방법을 말한다. 내부수익률이란 현금유입의 현가와 현금유출의 현가를 동일하게 하는 할인율을 말한다. 즉, 순현가가 0이 되게 하는 할인율을 의미한다. 요구수익률은 투자에 대한 위험이 주어졌을 때 투자자가 대상부동산에 자금을 투자하기 위해 충족되어야 할 최소한의 수익률을 의미한다.

실전 기출지문! O×

여러 투자안의 투자 우선순위를 결정할 때, 순현재가치법과 내부수
익률법 중 어느 방법을 적용하더라도 투자 우선순위는 달라지지 않
는다. (   )   제20회

정답 (×)

• 대체의 원칙

부동산 가격원칙의 하나로서, 부동산의 가격은 대체가 가능한 다
른 부동산이나 재화의 가격 간의 상호영향으로 형성된다는 원칙을
말한다. 이는 부동산의 가격결정과정에서 효용이 동일하다면 가격
이 싼 것을, 가격이 동일하다면 효용이 큰 것을 선택하게 되는 과
정 또는 법칙을 말한다.

실전 기출지문! O×

대체의 원칙은 부동산의 가격이 대체관계의 유사부동산으로부터 영
향을 받는다는 점에서, 거래사례비교법의 토대가 될 수 있다. (   )
제26회

정답 (O)

• 동심원이론(동심원모델)

튀넨의 고립국이론을 도시내부지역에 응용한 것으로 1920년대 시
카고시를 대상으로 하여 도시의 팽창이 도시내부구조에 미치는 영
향과 거주지 분화현상을 도시생태학적 관점으로 설명하고자 한 이
론이다. 버제스에 의하면 도시의 기능지역은 '중심업무지구(CBD)
– 점이지대(천이지대, 전이지대) – 저소득층 주거지대 – 중산층
주거지대 – 통근자지대'의 5개 지대로 분화된다.

실전 기출지문! O×

동심원이론에 의하면 점이지대는 고급주택지구보다 도심으로부터 원거리에 위치한다. (   )   제28회

정답 (×)
해설 동심원이론에 의하면 점이지대는 고급주택지구보다 도심으로부터 근거리(가깝게)에 위치한다(원거리 ⇨ 근거리).

• 맹지

주위가 모두 타인의 토지에 둘러싸여 도로에 어떤 접속면도 가지지 못하는 토지를 말하며, 건축법상 건축허가의 대상이 되지 아니한다.

실전 기출지문! O×

맹지(盲地)는 도로에 직접 연결되지 않은 한 필지의 토지다. (   ) 제28회

정답 (O)

• 부동산 마케팅

부동산과 부동산업에 대한 태도나 행동을 형성·유지·변경하기 위하여 수행하는 활동을 말한다. 즉, 부동산에 대한 필요를 만족시켜 주기 위해 지향된 인간활동을 말한다. 물적 부동산, 부동산 서비스, 부동산 증권의 3가지 유형의 부동산 제품을 사고팔고 임대차하는 것을 말한다.

실전 기출지문! O×

부동산 마케팅이란 부동산 활동주체가 소비자나 이용자의 욕구를 파악하고 창출하여 자신의 목적을 달성시키기 위해 시장을 정의하고 관리하는 과정이라 할 수 있다. ( )   제23회

정답 (○)

• 부동산 시장

부동산 시장이란 양, 질, 위치 등 여러 가지 측면에서 유사한 부동산에 대해 그 가격이 균등해지는 경향이 있는 지리적 구역이라고 정의된다. 부동산 시장은 위치의 고정성이라는 물리적 특성을 지니고 있어 일반재화 시장과는 달리 지리적 공간을 수반한다. 부동산 시장은 국지성, 비공개성, 비표준화성, 수급조절의 곤란성, 비조직성 등의 특성을 갖는다.

실전 기출지문! O×

부동산 시장은 불완전경쟁시장이더라도 할당 효율적 시장이 될 수 있다. ( )   제31회

정답 (○)

• 부증성

부동산의 자연적 특성 중 하나로서, 생산비나 노동을 투입하여 토지의 물리적 양을 임의로 증가시킬 수 없다는 특성을 말한다. 물론 매립이나 산지개간을 통한 농지나 택지의 확대는 지표면적의 증대를 가져올 수 있으나 그렇다고 해서 공간으로서의 토지가 증대되는 것은 아니다. 따라서 매립이나 산지개간을 통한 농지나 택지의 확대를 두고 부증성의 예외라고 할 수 없다. 부증성은 부동산 문제

의 가장 근본적인 원인으로 토지이용의 사회성·공공성이 요청되고
토지공개념의 도입 및 확대가 요구되고 있다.

실전 기출지문! ○×

부증성은 토지이용을 집약화시키는 요인이다. (   )　　　　제31회

정답 (○)

• 부채감당률

순영업소득이 부채서비스액의 몇 배가 되는가를 나타내는 비율을
말한다. 이 비율이 클수록 원리금 상환능력이 크다.

실전 기출지문! ○×

부채감당률이 1보다 작다는 것은 순영업소득이 부채서비스액을 감
당하기에 부족하다는 것이다. (   )　　　　제28회

정답 (○)

• 부채금융

저당권을 설정하거나 사채를 발행하여 타인의 자본을 조달하는 것
을 의미한다. 저당금융, 주택상환사채, 자산유동화증권, 주택저
당담보부채권 등이 그 예이다.

실전 기출문제!

다음 자금조달방법 중 부채금융(debt financing)을 모두 고른 것
은? 제22회

㉠ 조인트 벤처(joint venture)

㉡ 자산유동화증권(asset backed securities)

㉢ 주택상환사채

㉣ 공모(public offering)에 의한 증자

㉤ 부동산 신디케이트(syndicate)

① ㉠, ㉡   ② ㉠, ㉤   ③ ㉡, ㉢

④ ㉢, ㉣   ⑤ ㉢, ㉤

정답 ③

• 분양가상한제

정부가 공공택지 내 아파트, 재개발, 재건축, 주상복합 등을 포함
한 민간주택 등도 원가에 적정수익률을 더해 분양가를 정하는 것
을 말한다. 분양가 규제를 통해 주택가격을 안정시키기 위한 목적
으로 시행되고 있다. 분양가상한제는 장기적으로 민간 신규주택
공급을 위축시킴으로써 주택가격의 상승을 초래할 수 있고, 주택
건설업체의 수익성을 낮추는 요인으로 작용하여 주택의 공급을 감
소시킬 수 있다.

실전 기출지문! ○×

분양가상한제의 목적은 주택가격을 안정시키고 무주택자의 신규주
택 구입부담을 경감시키기 위해서이다. ( ) 제30회

정답 (○)

• 사정보정

거래사례비교법에서 수집된 거래사례가 부동산거래 당사자의 특수한 사정이나 개별적 동기가 개입되어 있거나 부동산 시장 사정에 정통하지 못하는 등의 요인으로 시장가치가 적정하지 못한 때에, 비정상적 요인이 제거된 정상적 가격수준으로 그 사정을 바로잡는 것을 말한다. 즉, 거래당사자 간의 지위가 불평등하거나 경매나 공매와 같이 거래가 강제되거나 부동산수급에 공적통제가 가해진 경우, 거래조건이 특수한 경우에는 그 사례를 정상적인 사례로 보정할 수 있어야 한다.

실전 기출문제!

다음 사례부동산의 사정보정치는 얼마인가?   제23회

• 면적이 1,000m²인 토지를 100,000,000원에 구입하였으나, 이는 인근의 표준적인 획지보다 고가로 매입한 것으로 확인되었음.
• 표준적인 획지의 정상가격이 80,000원/m²으로 조사되었음.

① 0.50   ② 0.60   ③ 0.70
④ 0.80   ⑤ 0.90

정답 ④

• 선형이론

호이트(Hoyt)가 주장한 이론으로서, 도시의 지역 구조를 원과 그 중심에서 방사되는 선형상에 따라서 지역 구조를 파악하려는 이론이다. 즉, 중심업무지구를 중심으로 교통노선을 따라 개발축이 방사상으로 확대·형성된다는 이론이다.

・세후현금수지

세전현금수지에서 영업소득세를 뺀 것을 말한다. 따라서 과세대상 소득이 적자가 아니고 투자자가 과세대상이라면 세전현금수지는 세후현금수지보다 크다. 그러나 과세대상 소득이 적자이고 투자자가 과세대상이 아니라면 세전현금수지와 세후현금수지는 동일할 수 있다.

• 소매인력법칙

레일리(W. J. Reily)의 소매인력법칙은 두 도시의 중심지 사이에
위치하는 소비자에 대하여 두 도시의 상권이 미치는 범위와 그 경
계를 설명하기 위한 이론이다. 두 도시의 중간에 위치하는 지역에
대하여 두 도시의 상권이 미치는 범위는 두 도시의 인구에 비례하
고, 두 도시로부터 거리의 제곱에 반비례한다는 이론이다.

실전 기출지문! ○×

레일리(W. J. Reily)의 소매인력법칙은 특정 점포가 최대이익을 확
보하기 위해 어떤 장소에 입지하는가에 대한 8원칙을 제시한다. (　)

제34회

정답 (×)

• 수요·공급의 원칙

부동산 가격의 원칙의 하나로서, 부동산의 특성으로 인하여 제약
을 받지만 부동산 가격도 기본적으로 수요와 공급의 상호관계에
의하여 결정된다는 원칙을 말한다. 이는 부증성의 특성으로 인하
여 부동산 공급의 양은 절대적으로 한정되어 있으나 일정한 지역에
서의 택지의 조성·주택의 신축·용도의 다양성 등을 통하여 공급
량의 증감이 가능하다는 논리에 근거한다.

• 수요의 교차탄력성

Y재의 가격변화율에 대한 X재의 수요량 변화율의 비(比)를 X재
수요와 Y재 가격에 대한 교차탄력성이라고 한다.

실전 기출문제!

다음 아파트에 대한 다세대주택 수요의 교차탄력성은? (단, 주어진 조건에 한함)

제28회

• 가구소득이 10% 상승하고 아파트 가격은 5% 상승했을 때, 다세대주택 수요는 8% 증가

• 다세대주택 수요의 소득탄력성은 0.6이며, 다세대주택과 아파트는 대체관계임

① 0.1   ② 0.2   ③ 0.3
④ 0.4   ⑤ 0.5

정답 ④

• 수익분석법

수익분석법이란 일반기업 경영에 의하여 산출된 총수익을 분석하여 대상물건이 일정한 기간에 산출할 것으로 기대되는 순수익에 대상물건을 계속하여 임대하는 데에 필요한 경비를 더하여 대상물건의 임대료를 산정하는 감정평가방법을 말한다(감정평가에 관한 규칙 제2조 제11호). 수익분석법에 의하여 산정된 시산임료를 수익임료라 한다.

실전 기출지문! ○×

'수익분석법'이란 대상물건이 장래 산출할 것으로 기대되는 순수익이나 미래의 현금흐름을 환원하거나 할 일하여 대상물건의 가액을 산정하는 감정평가방법을 말한다. (   )

제24회

정답 (×)

• 순영업소득

부동산의 순영업소득은 대상부동산의 유효총소득에서 영업경비를 뺀 금액이 된다. 영업경비는 관리비, 유지비, 화재보험료, 수도 및 전기료, 재산세 등을 포함하는 금액이다. 대상부동산의 유효총소득은 건축연면적에 유효임대면적비율로 곱하고 이에 다시 평균 공실률을 곱한 값으로 산출할 수 있다.

실전 기출문제!

임대인 A와 임차인 B는 임대차계약을 체결하려고 한다. 향후 3년간 순영업소득의 현재가치 합계는? (단, 주어진 조건에 한하며, 모든 현금유출입은 매 기간 말에 발생함) 제30회

• 연간 임대료는 1년차 5,000만원에서 매년 200만원씩 증가
• 연간 영업경비는 1년차 2,000만원에서 매년 100만원씩 증가
• 1년 후 일시불의 현가계수 0.95
• 2년 후 일시불의 현가계수 0.90
• 3년 후 일시불의 현가계수 0.85

① 8,100만원   ② 8,360만원   ③ 8,620만원
④ 9,000만원   ⑤ 9,300만원

정답 ②

• 순현가법

순현가란 주어진 할인율인 요구수익률로 할인하여 구한 현금유입의 현가와 현금유출의 현가의 차액을 구한 것을 말한다. 순현가법은 부동산 투자분석기법에서 할인현금수지분석법 중의 하나로서, 장래 기대되는 세후 소득의 현가합계와 투자비용으로 지출된 지분의 현가합계를 서로 비교하는 방법을 말한다.

부동산학개론이 만만해지는
용어 & 이론

107

실전 기출문제!

다음 현금흐름표를 기초로 계산한 순현재가치는?(다만 0년 차현금흐름은 초기투자액, 1년차부터 5년차까지 현금흐름은 현금유입과 유출을 감안한 순현금흐름이며 할인율은 연10%, 이 때 기간 5년인 연금의 현가계수는 3.79079이고 일시불의 현가계수는 0.620921임)

제20회

기간(년)	0	1	2	3	4	5
현금흐름	-1.000	130	130	130	130	130

① 100만원   ② 200만원   ③ 300만원
④ 400만원   ⑤ 500만원

정답 ③

• 도시 스프롤 현상(도시 확산 현상)

도시의 성장·개발이 무질서하고 불규칙하게 평면적으로 확산되는 것을 말한다. 도시계획이 불충분하고 토지이용계획이 확립되지 않은 경제적 후진국에서 일어나며, 토지의 최유효이용에서 괴리됨으로써 일어나는 현상이다. 스프롤 현상에는 고밀도 연쇄개발 현상과 저밀도 연쇄개발 현상이 있다.

① 고밀도 연쇄개발 현상: 합리적 밀도 수준 이상의 수준을 유지하면서 인접지를 잠식해 가는 현상을 말한다. 일반적으로 우리나라는 이 유형에 속한다.

② 저밀도 연쇄개발 현상: 합리적 밀도 수준 이하의 수준을 유지하면서 인접지를 잠식해 가는 현상을 말한다.

부동산학개론이 만만해지는
용어 & 이론

실전 기출지문! ○×

도시 스프롤 현상은 주로 도시 중심부의 오래된 상업지역과 주거지역에서 집중적으로 발생한다. (   )　　　　　　　　　제23회

정답 (×)
해설 도시 스프롤 현상은 주로 도시 외곽의 팽창을 의미한다.

• 시점수정

매매사례자료의 부동산 거래와 감정평가대상 부동산거래 간에 시간적 차이가 있을 때 매매사례가격을 기준시점으로 수정하여 주는 것을 뜻한다. 그리하여 시간적 동일성을 갖게 하여 사례자료를 규범화시키는 것으로 사정보정이 끝나고 하는 것이다.

실전 기출지문! ○×

공시지가기준법 적용에 따른 시점수정시 지가변동률을 적용하는 것이 적절하지 아니하여 통계청이 조사·발표하는 소비자물가지수에 따라 산정된 소비자물가상승률을 적용하였다. (   )　　　　제24회

정답 (×)
해설 공시지가기준법 적용에 따른 시점수정시 지가변동률을 적용하는 것이 불가능하거나 적절하지 않은 경우에는 한국은행이 조사, 발표하는 생산자물가지수에 따라 산정된 생산자물가상승률을 적용한다.

• 엘우드법

부동산 가치를 토지와 건물 등 물리적 부분으로 분류하지 않고 자기자본과 타인자본으로 구성되는 것으로 보고 이를 가중평균한 값을 말한다. 이는 수익성 부동산의 자본환원율은 대상부동산의 물리적 특성에 의해서가 아니라 금융적 특성에 의해 결정하여야 한다는 것이다.

• 외부효과

시장기구 밖에서 나타나는 현상으로, 다른 경제주체에게 이익을 가져다 주는 것을 외부경제라 하고, 반대로 손해를 끼치는 행위를 외부불경제라 한다.

실전 기출지문! ○×

공공재 또는 외부효과의 존재는 정부의 시장개입 근거가 된다. ( )

제28회

정답 (○)

• 요구수익률

투자가 이루어지기 위해서 최소한 요구되는 수익률을 말하며, 투자에 대한 기회비용을 충당할 수 있을 만큼의 수익률이 된다. 요구수익률에는 시간에 대한 비용과 위험에 대한 비용이 들어 있다.

요구수익률 = 무위험률(기회비용) + 위험할증률 + 예상인플레이션

실전 기출지문! ○×

투자결정은 기대수익률과 요구수익률을 비교함으로써 이루어지는데 투자자는 투자대안의 기대수익률이 요구수익률보다 큰 경우 투자를 하게 된다. ( )

제21회

정답 (○)

• 유량

일정 기간에 걸쳐서 측정하는 변수를 말한다. 예를 들어 임대료 수입, 신규주택 공급량, 주택거래량, 부동산 회사의 당기순이익, 국민총생산 등이 이에 해당한다.

실전 기출문제!

다음 중 유량(flow)의 경제변수는 모두 몇 개인가?　　　제31회

- 가계 자산
- 노동자 소득
- 가계 소비
- 통화량
- 자본총량
- 신규주택 공급량

① 1개　　　　　② 2개　　　　　③ 3개
④ 4개　　　　　⑤ 5개

정답 ③

• 유사지역

부동산 활동을 추구하는 대상부동산과 용도가 동일하고 자기형성
요인이 유사하며 인근지역의 지역특성과 유사한 지역특성을 갖고
있으나 지리적 위치는 다른 지역을 말한다.

• 유효총소득(유효조소득)

가능조소득에서 공실 및 불량채무에 대한 충당금을 빼고 기타소
득을 더한 것을 말한다.

실전 기출지문! ○×

유효총소득은 가능총소득에서 공실손실상당액과 불량부채액(충당
금)을 차감하고, 기타 수입을 더하여 구한 소득이다. (　)　　제28회

정답 (○)

• 이행지

임지지역, 택지지역, 농지지역 내에서 전환이 이루어지고 있는 토
지를 말한다. 예컨대 택지지역이 재개발사업 등으로 인하여 공업지
역이 주거지역으로 이행되거나 주거지역이 상업지역으로 이행되는

지역을 말하고, 그 지역 내의 토지를 이행지라 한다.

이행지와 후보지의 개념을 출제자는 묻고 싶어하므로 이행지와 후보지에 대한 개념 정리가 필요하다. 또한 이행지는 전환 중이거나 이행 중인 토지에 붙이는 용어이기 때문에 전환이나 이행이 이루어지고 난 후에는 바뀐 후의 용도에 따라 부른다는 것에 유의해야 한다.

실전 기출지문! ○×

이행지는 택지지역·농지지역·임지지역 상호간에 다른 지역으로 전환되고 있는 일단의 토지를 말한다.   제29회

정답 (×)
해설 후보지에 대한 설명이다(이행지 ⇨ 후보지).

• 임대료 규제정책

임대료 규제는 저소득층의 주택문제를 해결하기 위한 간접적인 시장개입정책을 말한다. 임대료 규제란 균형가격보다 낮은 가격으로 최고가격을 설정하여 그 이하로 가격을 책정하도록 하는 가격통제정책을 말한다. 이때 임대료 상승을 균형가격 이하로 규제하면 단기적으로는 임대주택의 공급량이 변하지 않기 때문에 임대료 규제의 효과가 충분히 발휘되지만 장기적으로는 공급량이 변하기 때문에 여러 가지 부작용이 나타난다.

실전 기출지문! ○×

정부가 임대료 상승을 균형가격 이하로 규제하면 단기적으로 임대주택의 공급량이 늘어나지 않기 때문에 임대료 규제의 효과가 충분히 발휘되지 못한다. (   )   제23회

정답 (×)

• 입지계수

부동산 수요의 원천은 지역의 인구와 산업활동이다. 특히, 일정한 지역이 어떠한 산업에 특화되었는가를 알아보는 것은 부동산 시장 분석의 첫 단계라고 하고 이를 손쉽게 판별할 수 있는 지표가 바로 입지계수이다. 입지계수를 통해 해당 지역 특정산업의 특화도를 파악할 수 있다.

실전 기출문제!

X와 Y지역의 산업별 고용자수가 다음과 같을 때, X지역의 입지계수 (LQ)에 따른 기반산업의 개수는? (단, 주어진 조건에 한함)   제34회

구 분	X지역	Y지역	전지역
A산업	30	50	80
B산업	50	40	90
C산업	60	50	110
D산업	100	20	120
E산업	80	60	140
전산업 고용자수	320	220	540

① 0개   ② 1개   ③ 2개
④ 3개   ⑤ 4개

정답 ②

• 알론소의 입찰지대이론

알론소(W. Alonso)의 입찰지대이론이란 당해 토지에 대해 최고 지불능력을 가진 사람이 토지를 차지하여 그에 따라 토지의 용도 가 결정된다는 이론이다. 입찰지대란 단위 면적의 토지당 토지이용

자가 지불하고자 하는 최대 금액으로 초과이윤이 0이 되는 수준
의 지대를 의미한다.

실전 기출문제!

알론소(W. Alonso)의 입찰지대이론에 관한 설명으로 틀린 것은?
제23회

① 튀넨의 고립국이론을 도시공간에 적용하여 확장, 발전시킨 것이다.
② 운송비는 도심지로부터 멀어질수록 증가하고, 재화의 평균생산비용은
동일하다는 가정을 전제한다.
③ 지대는 기업주의 정상이윤과 투입 생산비를 지불하고 남은 잉여에 해
당하며, 토지이용자에게는 최소지불용의액이라 할 수 있다.
④ 도심지역의 이용 가능한 토지는 외곽지역에 비해 한정되어 있어 토지
이용자들 사이에 경쟁이 치열해 질 수 있다.
⑤ 교통비 부담이 너무 커서 도시민이 거주하려고 하지 않는 한계지점이
도시의 주거한계점이다.

정답 ③
해설 지대는 기업주의 정상이윤과 투입 생산비를 지불하고 남은 잉여에 해당하며, 토
지이용자에게는 최대지불가능액이라 할 수 있다.

• 재조달원가

현존하는 대상부동산을 기준시점에서 새로 건축·조성하는 등의
방법으로 원시적으로 재생산 또는 재취득하는 것을 상정하는 경우
에 소요되는 적정원가의 총액을 말한다. 재조달원가의 종류는 복
제원가와 대치원가가 있다.

실전 기출문제!

다음 자료를 활용하여 산정한 A건물의 m²당 재조달원가는?   제20회

- A건물은 10년 전에 준공된 4층 건물이다(대지면적 400m² 연면적 1,250m²).
- A건물의 준공 당시 공사비 내역(단위: 천 원)

  직접공사비   : 270,000

  간접공사비   : 30,000

  공사비 계   : 300,000

  개발업자의 이윤 : 60,000

  총계   : 360,000
- 10년 전 건축비 지수 100, 가격시점 현재 135

① 388,800원/m²   ② 324,000원/m²

③ 288,000원/m²   ④ 240,000원/m²

⑤ 216,000원/m²

정답 ①

• 주택저당채권유동화

금융기관이 주택저당채권을 직접 매각 또는 증권화하여 현금화하는 것을 말한다. 금융기관이 주택자금을 대출하여 주고 설정받은 저당권을 매각하거나 저당권부 채권을 발행하여 새로운 주택자금을 마련하는 것으로서 주택저당채권유동화는 금융기관의 자금유동성을 증가시키게 된다.

실전 기출지문! ○×

저당채권유동화는 금융기관의 유동성을 감소시킨다. (   )   제21회

정답 (×)

• 저량

어떤 특정시점을 기준으로 파악된 경제조직 등에 존재하는 또는
경제주체가 소유하는 재화 전체의 양을 말한다. 예를 들어 주택재
고량, 국부, 보유부동산의 시장가치, 인구, 재산총액, 외환보유액,
외채 등이 이에 해당한다.

실전 기출지문! ○×

만약 현재 우리나라에 총 1,500만 채의 주택이 존재하고 그중 100
만 채가 공가로 남아 있다면, 현재 주택저량의 수요량은 1,400만 채
이다. (   )   제22회

정답 (○)

• 적산법

원가방식에 의하여 대상부동산의 임료를 산정하는 방법으로서, 기
준시점에 있어서 대상물건의 가격을 기대이율로 곱하여 산정한 금
액에 대상물건을 계속 임대차하는 데 필요한 제경비를 더하여 임
료를 산정하는 방법을 말한다. 적산법에 의해 실질 임료를 구하는
식은 다음과 같다.

적산임료 = (기초가액 × 기대이율) + 필요제경비

실전 기출지문! ○×

적산법은 대상물건의 기초가액에 기대이율을 곱하여 산정된 기대수
익에 대상물건을 계속하여 임대하는 데에 필요한 경비를 더하여 대
상물건의 임대료를 산정하는 감정평가방법을 말한다. (   )   제28회

정답 (○)

• 종합자본환원율

부동산 평가에서 흔히 쓰이며 총투자액에 대한 순영업소득의 비율
이다. 종합자본율이라고도 한다.

• 주택금융

주택의 구입, 개·보수, 건설 등 주택관련 사업에 대한 자금대여와
관리 등을 포괄하는 특수금융을 말한다. 그 주요 기능은 자금을
최대한 동원하고 이의 효율적 배분을 통하여 주택의 생산과 거래
를 원활하게 함으로써 무주택 서민과 주택건설업자에게 장기저리
로 대출해 줌으로써 주택의 공급을 확대하는 한편 주택구입을 용
이하게 하는 제도라 할 수 있다.

실전 기출지문! ○×

주택금융이 확대됨에 따라 대출기관의 자금이 풍부해져 궁극적으로
주택자금대출이 확대될 수 있다. ( ) 제30회

정답 (○)

• 주택저당증권

금융기관 등이 주택자금을 대출하고 취득한 주택저당증권을 유동
화전문회사 등에 양도하고 유동화전문회사 등이 이들 자산을 기초
로 증권을 발행하여 투자자에게 매각함으로써 주택자금을 조성하
는 제도이다. 제1차 대출기관, 제2차 대출기관, 저당담보증권 발
행전문회사 등이 발행할 수 있다.

• 중심지이론

중심지는 중심성의 상대적 크기에 따라 고차 중심지와 저차 중심
지로 구분되며, 고차일수록 저차보다 중심지 간의 거리가 더 멀고
규모가 크며 다양한 중심기능을 가진다는 이론이다.

크리스탈러(W. Christaller)가 주장한 이론으로 도시의 기능이
주변지역에 상품과 서비스를 생산하여 제공하는 것이라고 본다.

실전 기출문제!

다음 설명에 모두 해당되는 입지이론은?   제33회

• 인간정주체계의 분포원리와 상업입지의 계층체계를 설명하고 있다.
• 재화의 도달거리와 최소요구치와의 관계를 설명하는 것으로 최소요구
  치가 재화의 도달범위 내에 있을 때 판매자의 존속을 위한 최소한의 상
  권 범위가 된다.
• 고객의 다목적 구매행동, 고객의 지역 간 문화적 차이를 반영하지 않았
  다는 비판이 있다.

---

① 애플바움(W. Applebaum)의 소비자분포기법
② 레일리(W. Reilly)의 소매중력모형
③ 버제스(E. Burgess)의 동심원이론
④ 컨버스(P. Converse)의 분기점 모형
⑤ 크리스탈러(W. Christaller)의 중심지이론

정답 ⑤
해설 크리스탈러(W. Christaller)의 중심지이론에 대한 설명이다.

• 지렛대 효과(재무레버리지 효과)

타인으로부터 빌린 차입금을 지렛대로 삼아 자기자본수익률을 높
이는 효과를 말한다. 이는 차입금이 지분수익을 어떻게 증가 또는
감소시키는가를 의미하는 것이다. 지렛대 효과는 수익금 지렛대
효과와 수익률 지렛대 효과로 나뉜다.

실전 기출지문! O×

레버리지 효과란 타인자본을 이용할 경우 부채비율의 증감이 자기자
본수익률에 미치는 효과를 말한다. (   )   제20회

정답 (○)

• 지분금융

부동산 금융에 있어서 지분권을 팔거나 주식발행을 통해 자기자본
을 조달하는 방식을 지분금융이라 한다. 부동산 신디케이트, 조인
트 벤처, 부동산투자신탁, 공모에 의한 증자 등의 방식이 있다.

실전 기출문제!

다음 자금조달 방법 중 지분금융(equity financing)에 해당하는 것은?
제29회

① 주택상환사채   ② 신탁증서금융
③ 부동산투자회사(REITs)   ④ 자산담보부기업어음(ABCP)
⑤ 주택저당채권담보부채권(MBB)

정답 ③
해설 ③ 부동산투자회사(REITs)는 지분금융으로 분류된다. 나머지는 모두 부채금융
으로 분류된다.

• 집재성 점포

점포소재에 따른 분류의 하나로서, 동일한 업종의 점포가 서로 한
곳에 모여서 입지하여야 하는 유형을 말한다. 여기에 적합한 점포
의 유형에는 금융기관을 비롯하여 보험회사·관공서·사무실·기계
점·가구점·전기부품점 등이 해당한다.

• 최유효이용의 원칙

부동산 가격은 최유효이용을 전제로 파악되는 가격을 표준으로 형
성된다는 원칙이다. 이는 부동산에만 적용되는 원칙으로서 가격
제 원칙 중 가장 중추적인 기능을 담당한다. 최유효이용이란 객관
적으로 보아 양식과 통상의 이용능력을 보유하는 사람의 합리적·
합법적인 최고·최선의 이용을 말한다. 따라서 특정인에 의한 이용
은 최유효이용의 개념에서 제외된다.

• 토지은행 제도

토지비축 제도라고도 불리는데, 공공이 장래에 필요한 토지를 미
리 확보하여 보유하는 제도를 말한다. 토지선매를 통해 장래에 필
요한 공공시설용지를 적기에 저렴한 수준으로 공급할 수 있고, 개
인 등에 의한 무질서하고 무계획적인 토지개발을 막을 수 있어서
효과적인 도시계획목표의 달성에 기여할 수 있다.

• 포트폴리오이론(포트폴리오 효과)

투자가들이 투자자금을 여러 종류의 자산에 분산투자하게 될 때
투자자가 소유하는 여러 종류의 자산의 집합을 포트폴리오라고 말
한다. 포트폴리오이론이란 투자결정 시 여러 개에 분산투자함으로
써 하나에 집중되어 있을 때 발생할 수 있는 위험을 제거하여 분산
된 자산으로부터 안정된 결합 편익을 획득하도록 하는 자산관리의
방법이나 원리를 의미한다.

• 표준지공시지가

표준지공시지가란 국토교통부장관이 조사·평가하여 공시한 표준
지의 단위면적당 가격을 말한다. 국토교통부장관은 매년 공시기
준일 현재의 적정가격을 조사·평가하고, 중앙부동산평가위원회의
심의를 거쳐 공시하여야 한다.

> **실전 기출지문!** O×
>
> 표준지공시지가는 국가·지방자치단체 등이 그 업무와 관련하여 지가
> 를 산정하거나 감정평가법인 등이 개별적으로 토지를 감정평가하는
> 경우에 기준이 된다. ( )   제30회
>
> **정답** (○)

• 프로젝트 파이낸싱(프로젝트 금융)

프로젝트에 대한 다양한 금융조달방식을 말한다. 부동산 담보대출
대신 사업의 수익성을 담보로 회사채를 발행하여 자금조달을 하는
방법이고 자금을 대는 측과의 일종의 공동사업형태라고 할 수 있
다. 따라서 프로젝트 파이낸싱은 사업성이 담보가 되며 개인적인
채무가 없는 비소구금융(非遡求金融)이다.

> **실전 기출지문!** O×
>
> 프로젝트 금융의 자금은 건설회사 또는 시공회사가 자체계좌를 통해
> 직접 관리한다. ( )   제27회
>
> **정답** (×)

• 할인현금수지분석법

장래 예상되는 현금수입과 지출을 현재가치로 할인하고 이것을 서
로 비교하여 투자판단을 하는 방법이다. 할인현금수지분석법에는
순현가법, 내부수익률법, 수익성 지수법 등이 있다.

실전 기출지문! O×

할인현금수지분석법은 예상되는 현금유입의 현가와 현금유출의 현
가를 서로 비교하여 투자하는 방법으로 승수법과 수익률법이 있다.
( )

제15회 추가

정답 (×)

• 환원이율

수익환원법의 환원이율이란 순수익을 자본환원하는 이율로서 원
본가격에 대한 순수익의 비율을 말한다. 이것은 순수익을 자본화
시키는 매개역할을 담당하고 그 내용은 자본수익률과 자본회수율
을 합한 개념이다. 환원이율의 결정은 투자이율을 표준으로 하고,
당해 부동산의 개별성을 종합적으로 검토하여 결정한다. 환원이
율에는 개별환원이율과 종합환원이율이 있다. 환원이율을 구하는
방법은 요소구성법, 투자결합법, 시장추출법, CAPM모형에 의한
방식 등이 있다.

① 개별환원이율: 부지와 건물의 환원이율이 서로 다른 경우 각각
　의 환원이율
② 종합환원이율: 2개 이상의 대상물건이 함께 작용하여 순수익이
　산출된 경우에 각 부동산별 가격구성비율과 개별환원비율을 곱
　하여 계산한 가중산술평균치

기대이율	환원이율
• 적산법과 관계 • 투하자본에 대한 수익의 비율 • 대상물건의 임대기간에 적용되는 단기적인 이율 • 당해 계약조건을 전제로 하며 물건의 종별에 따라 차이가 거의 없음. • 금융기관의 정기예금 등이 산정의 기초가 됨. • 항상 상각 후 세공제 전임. • 종합이율의 개념이 없음.	• 수익환원법과의 관계 • 대상물건의 가격에 대한 순수익의 비율 • 대상물건의 내용연수 만료시까지 적용되는 장기적인 이율 • 물건의 최유효이용을 전제로 하며 물건의 종별에 따라 차이가 있음. • 순수이율에 위험률을 가산한 복합이율임. • 상각 전·후, 세공제 전·후의 구별이 있음. • 2개 이상의 물건에 대한 종합환원이율이 있음.

• 후보지

대상토지가 현재의 용도에서 어떤 지위나 이용도가 전환될 토지로서, 용도지역 중 택지지역·농지지역·임지지역·녹지지역 등의 상호간에 전환되고 있는 토지를 말하며 가망지 또는 예정지라고 한다. 토지의 유용성을 높이기 위해 전환되는 토지로 임지지역보다 농지지역으로, 농지지역보다 택지지역으로 이용하는 것이 토지의 유용성을 증대시킨다고 본다.

실전 기출지문! ○×

후보지(候補地)는 택지지역·농지지역·임지지역 내에서 세부지역 간 용도가 전환되고 있는 토지를 말한다. (　)　　　　　　제31회

정답 (×)
해설 이행지에 대한 설명이다(후보지 ⇨ 이행지). 후보지는 택지지역·농지지역·임지지역 상호간에 용도가 전환되고 있는 토지를 말한다.

다음 합격수기의 주인공은
바로 당신입니다!

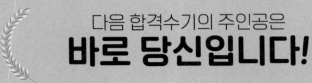

공인중개사 합격의 기쁨! 영광! 감동!
박문각 공인중개사가 함께 합니다.

Memo

전면개정판 제36회 공인중개사 시험대비

박문각 공인중개사
합격설명서

초판인쇄　2024년 10월 25일
초판발행　2024년 10월 30일
지 은 이　박문각 부동산교육연구소
펴 낸 이　박 용
펴 낸 곳　(주)박문각출판
등　　록　2015. 4. 29. 제2019-000137호
주　　소　06654 서울시 서초구 효령로 283 서경B/D 4층
대표전화　(02)6466-7202
팩　　스　(02)584-2927

해당 도서는 비매품으로 판매할 수 없습니다.
ISBN 979-11-7262-305-0

66

계획 없는 목표는
한낱 꿈에 불과하다.

− 생텍쥐페리 −

99